U0642364

贵州省省级骨干专业群建设教材

GUIZHOUSHENG SHENGJI GUGAN ZHUANYE QUN
JIANSHE JIAOCAI

急危重症护理学

李昊　潘晔　⊙　主编

中南大学出版社
www.csupress.com.cn
·长沙·

编委会

前　言

　　急危重症护理学是研究各类急性病、急性创伤、慢性病急性发作及危重症病人抢救护理的一门临床护理学课程。随着急救医学和危重症医学的发展、各种仪器设备不断更新，急危重症护理学的范畴也日趋扩大。本课程坚持立德树人，对接新时代健康中国建设对护理、助产专业人才培养需求，帮助高等职业教育三年制护理、助产专业学生学习急危重症护理的基本知识和基本技能，在思想性方面尤其突出新时代育人导向，全面融入社会主义核心价值观，体现"救死扶伤、守护健康、关爱生命"的职业精神，将政治素养和职业道德、技术技能培养贯穿编写及教材使用全过程。

　　本教材以模块化教学为特点，结合数字教学资源，在注重系统性的同时，兼顾知识的衔接。更加注重帮助学生培养综合能力，将各种监护知识与技术分别放到各科常见急症的急救知识中讲解，便于学生理解记忆；并将常用急救技术融合在具体病症的抢救中，使学生在比较与综合中提高自我；以认识急危重症护理、院前急救、急诊科救护、重症救护四个模块作为全书主线。同时还介绍了急危重症护理学发展的最新进展，帮助学生把握学科发展的最新动态，获取最新信息。限于水平，疏漏和不当之处难免，敬请广大读者指正。

《急危重症护理学》
课程标准

《课程介绍》视频

主　编

2023 年 5 月

目　录

第一章
认识急危重症护理

学习小贴士

> **掌握**：能简述急危重症护理学发展过程中的代表性事件；能正确描述急救医疗服务体系。
>
> **熟悉**：急危重症护理学的概念；急诊医疗服务体系的管理；我国急危重症护士资格认证的具体条件。
>
> **能力拓展**：能通过查阅资料，概括我国急危重症护士资质的认证发展趋势；能使用急救医疗服务体系工作流程开展急救工作。

急危重症护理学（emergency and critical care nursing）是以挽救病人生命、提高抢救成功率、促进病人康复、减少伤残率、提高生命质量为目的，以现代医学科学、护理学专业理论为基础，研究急危重症病人抢救、护理和科学管理的一门综合性应用学科。随着社会的发展、医疗水平的不断提升以及专科培训工作的日益受重视，急危重症护理工作的重要性越来越凸显出来。

第一节　急危重症护理学的起源与发展

急危重症护理学是与急诊医学及危重病医学同步建立和成长起来的，在我国它经历了急诊护理学、急救护理学、急危重症护理学等名称上的不断演变，含义也得到了极大拓展，目前主要研究包括急诊和危重症护理领域的理论、知识和技术，已成为护理学科的一个重要分支。

◆ 一、国际急危重症护理学的起源与发展

现代急危重症护理可追溯到 19 世纪弗洛伦斯·南丁格尔年代的急救护理实践。在 1854—1856 年的克里米亚战争期间，前线的英国伤病员死亡率高达 42% 以上，南丁格尔率领 38 名护士前往战地救护，使死亡率下降到 2%，这充分说明了护理工作在抢救急危重症伤病员中的重要作用。在救护伤病员的过程中，南丁格尔还首次阐述了在医院手术室旁设立术后病人恢复病房的优点。

此后，随着急诊和危重病医学实践日益受到重视，急救护理得到进一步发展，并出现危重症护理的雏形。1923年，美国约翰霍普金斯医院建立了神经外科术后病房。1927年，第一个早产婴儿监护中心在芝加哥建立。在第二次世界大战期间，还建立了休克病房，以救护在战争中受伤或接受手术治疗后的战士。二战以后，护士的短缺迫使人们将术后病人集中在术后恢复病房进行救治。1960年，明显的救治效果使几乎所有的美国医院都建立了术后恢复病房。

危重症护理真正得到发展始于20世纪50年代初期。当时北欧发生了脊髓灰质炎大流行，许多病人因呼吸肌麻痹不能自主呼吸，而将其集中辅以"铁肺"治疗，再配合相应的特殊护理技术，效果良好，堪称世界上最早用于监护呼吸衰竭病人的"监护病房"。此后，各大医院开始建立类似的监护单元。美国巴尔的摩医院麻醉科医生Peter Safer由此也建立了一个专业性较强的监护单位，并正式命名为重症监护病房（intensive care unit，ICU），到60年代末，大部分美国医院至少拥有一个ICU。

此时，随着电子仪器设备的发展，急救护理也进入到有抢救设备配合的新阶段。心电监护、除颤仪、人工呼吸机、血液透析机的应用，使急救护理学的理论与技术得到相应发展。20世纪70年代中期，在国际红十字会的参与下，前联邦德国召开医疗会议，提出急救事业国际化、国际互助和标准化方针，要求急救车装备必要的仪器，国际间统一紧急呼救电话号码及交流急救经验等，以促进急救医学的发展。

可以说，急危重症护理起源于19世纪中期，但作为一门独立的学科，急危重症护理学是随着急诊医学和危重症医学的建立，于近30多年才真正发展起来。1970年，美国危重症医学会组建；1972年，美国医学会正式承认急诊医学为一门独立的学科；1979年，国际上正式承认急诊医学为医学科学中的第23个专业学科；1983年，危重症医学成为美国医学界一门最新的学科。

到20世纪90年代，急救医疗服务体系得到迅速发展，研究拓展至院前急救、院内急诊、危重病救治、灾害医学等多项内容。这些都预示着急诊医学和危重症医学作为边缘或跨学科专业的强大生命力。与之相呼应，急危重症护理学也表现出较好的发展势头，美国急诊护士、危重症护士学会相继成立，在培训急诊护士（emergency nurse，EN）和危重症护士（critical care nurse，CCN）方面起着重要作用，目前这些护士活跃在医院内外包括急诊科、各类重症监护病房、心导管室、术后恢复室甚至是社区、门诊手术中心等岗位。

◆ 二、我国急危重症护理学的建立与发展

我国急危重症护理实践早期，并没有专门的急诊、急救和危重症护理学概念，急诊只是医院门诊的一个下属部门。直到1980—1983年，原卫生部先后颁发了"加强城市急救工作"、"城市医院急诊室建立"的文件后，北京、上海等地才相继成立急诊室、急诊科和急救中心，促进了急诊医学与急诊护理学的发展，开始了我国急危重症护理学发展的初始阶段。同期，我国危重症护理也只是将危重病人集中在靠近护士站的病房或急救室，以便护士密切观察与护理；将外科手术后的病人先送到术后复苏室，清醒后再转入病房。直到20世纪80年代，各地才相继成立专科或综合监护病房。北京协和医院在1982年设立了第一张ICU病床，1984年正式成立了作为独立专科的综合性ICU。

1989 年，原卫生部将医院建立急诊科和 ICU 作为医院等级评定的条件之一，明确了急诊和危重症医学在医院建设中的重要地位，我国急危重症护理学也随之进入了快速发展阶段。目前，各级医院已普遍设立急诊科或急救科，坚持"以病人为中心"，开通"绿色生命通道"，以急救中心及急救站为主体的院前急救网络也已建立，试图以较短的反应时间，提供优质的院前急救服务。全国各城市普遍设立了"120"急救专线电话，部分地区开始试行医疗急救电话"120"、公安报警电话"110"、火警电话"119"及交通事故报警电话"122"等系统的联动机制，一些发达城市还积极探索海、陆、空立体救援新模式，全国整体急救医疗网络在不断完善中。此外，危重病人救护水平得到较大发展，ICU 的规模、精密监护治疗仪器的配置质量、医护人员的专业救护水平及临床实践能力，成为一个国家、一所医院急救医疗水平的主要体现。2003 年，传染性非典型肺炎流行后，国家又投入巨资建立和健全突发公共卫生事件紧急医疗救治体系，急危重症护理学在应对大型灾难中的地位得到进一步提升，甚至已独立发展出灾难护理学的概念。

与国外相比，我国急危重症医学及护理学成为独立学科的时间较晚，但在院前急救、院内急诊、危重症救治乃至灾难救援等方面发挥着越来越重要的作用。1983 年，急诊医学被原卫生部和教育部正式承认为独立学科。1985 年，国家学位评定委员会正式批准设置急诊医学研究生点。此后，中华医学会急诊医学、重症医学及灾难医学分会相继成立，中华护理学会也分别成立了急诊护理和危重症护理专业委员会。1988 年，第二军医大学开设了国内第一门《急救护理学》课程。此后，国家教育部将《急救护理学》确定为护理学科的必修课程，中华护理学会及护理教育中心设立多个培训基地并多次举办急危重症护理学习班，培训大量专业的急危重症护士，特别是急危重症护理理论不再单纯局限于人的生理要求，而是着眼于人的整体生理、心理、病理、社会、精神等要求，彻底将现代急危重症护理观、急危重症护理技术由医院内延伸到现场、扩展到社会。

第二节　急危重症护士培训及其资质认证

学科是基础，人才是关键。急危重症护理学要深入发展，就要做好人才培训及其资质的认证工作，这也是发展急危重症护理事业的一个重要方面。

一、国内急危重症护士培训

我国急危重症护士的培训工作起步较晚，但近年来逐步受到重视。目前，《急危重症护理学》已是各高、中职院校护理专业必修核心科目，适用于在职护士的各类继续教育项目也较为丰富。随着我国护理学科的飞速发展，专科护士培训又成为一种更高层次的培训形式。《全国护理事业发展规划（2021—2025 年）》指出：加强护士培养培训。建立以岗位需求为导向、以岗位胜任力为核心的护士培训制度。开展护士服务能力培训行动。各地结合实际，重点对儿科护理、重症监护、传染病护理、康复护理、急诊急救等紧缺护理专业护士开展岗位培训，提升护理专科技术水平。预计到 2025 年，上述专业护士参加培训比例均不低于 90%。在此思想引导下，中华护理学会和我国多省、市地区将培训工作作为急危重症专科护士的常规要求，并对培训形式和要求进行积极探索。

国内对急危重症专科护士的培训主要以在职教育为主，邀请急诊和危重症抢救临床经验较为丰富的专家授课，培训内容包括理论教学与临床实践。理论教学内容涉及急诊或急救、危重症监护的所有内容、学科发展与专科护士发展趋势、循证护理、护理科研、护理教育及突发事件的应对等。专科理论包括重症监护、急救创伤、各种危象、昏迷、中毒等急救最新进展。采取理论讲座、病例分析、操作示范、临床实践等多种形式授课。在具体培训中，也十分重视和突出对急救能力的培养。近年来，随着专业型研究生在我国的设立和发展，专业研究生教育形式也成为急危重症专科护士培养的另一种重要形式。

➡ 二、国内急危重症护士资质认证

我国急危重症专科护士资质认证尚处在尝试及探索的阶段，没有统一资格认定标准。2002年，中华护理学会与香港危重病学护士协会联合举办了第一届全国性"危重症护理学文凭课程班"，为期3个月，成绩合格的护士颁发"危重症护理学业文凭证书"，这是全国范围内第一次对危重症适任护士开展认证工作。2006年，在上海市护理学会的牵头下，上海市开始进行急诊及危重症护士认证工作，对上海各级医院在急诊科或ICU工作2年以上的注册护士分期分批进行包括最新专科理论学习、临床实践在内的培训，考核合格发放适任证书。安徽省立医院也在2006年建立了第一个急诊急救专科护士培训基地，如今已培养大量急救专科护士。目前，在全国范围内各省市正逐步开展急诊急救和危重症专科护士的培训和认证，并已取得一定成效。

第三节　急救医疗服务体系的组成与管理

➡ 一、急救医疗服务体系的组成

微课：急救医疗服务体系的组成与管理

急救医疗服务体系的组成与管理PPT

急救医疗服务体系（emergency medical service system, EMSS）是集院前急救、院内急诊科救护、重症监护室救护和各专科"生命绿色通道"为一体的急救网络，即院前急救负责现场急救和途中救护，急诊科和ICU负责院内救护，这既适用于日常的急救医疗，也适用于大型灾难和意外事故的救护。

急救医疗服务体系强调急诊的即刻性、连续性、层次性和系统性，主要是应对地震、水灾、火灾、重大交通事故、楼房坍塌、爆炸等灾难事故造成的群体伤病员的紧急医疗救治。在事故现场或发病之初即对伤病员进行初步急救，先是人群自救互救，随后带有抢救设备的急救员和救护组来到现场参加急救；然后用配备急救器械的运输工具把伤病员安全、快速护送到医院的急诊中心，接受进一步抢救和诊断，即所谓的医院急救；待其主要生命体征稳定后再转送到重症或专科监护病房。

近年来，急救医疗服务体系在国内外迅速发展，日益受到各级卫生医疗机构及广大病人

的关注。建立一个组织结构严密，行动迅速，并能实施有效救治的医疗组织来提供快速的、合理的、及时的处理，将病人安全转送到医院，使其在医院内进一步得到更有效的救治，成为急救医疗服务体系的主要目标。各国政府也逐渐认识到，发展急救医疗服务体系的重要性和迫切性，发达国家尤其重视 EMSS 的发展和完善，这种随着高科技发展起来的急救医学模式一经建立就显示出勃勃生机。

我国急救医疗服务始于 20 世纪 50 年代，大中城市出现院前医疗救治的专业机构——救护站。1980 年 10 月，原卫生部正式颁布新中国成立后第一个关于急救的文件——《关于加强城市急救工作的意见》，总结了新中国急救工作的基本状况，提出了建立、健全急救组织，加强急救工作，逐步实现现代化的一系列意见，将发展急救事业作为医院建设的重要任务。随后，急救医疗服务体系在我国逐渐发展起来，建立了日趋完善的城乡急救组织。它是集院前急救中心(站)、医院急诊科、重症或专科监护病房三部分有机构成的一个完整现代化医疗体系。目前，我国二级以上的医院均设有急诊科，地市级城市均有急救中心或急救站，综合性大医院都建立了重症监护病房，配备了一定的专业队伍。

二、急诊医疗服务体系的管理

我国 EMSS 工作起步较晚，与发达国家相比还存在一定差距。国家卫生健康委员会从急救事业的组织建立、体制管理、救治质量等方面给予了政策性和指导性支持，推动我国 EMSS 建设进程，探索一条符合我国国情的 EMSS 发展道路。

1. 建立灵敏的通讯网络

建立健全灵敏的通讯网络是提高急救应急能力的基础，在重要单位、重点部门和医疗机构设立专线电话，以确保在紧急呼救时通讯畅通无阻，提高反应时效。

2. 改善院前急救的运输工具

急救用的运输工具既是运送病员的载体，又是现场及途中实施抢救、监护的场所。救护车要配备必要的设备，可实施气管插管、输液、心脏除颤等措施和心电监护、血氧饱和度等监测。在沿海、边远地区、牧区及有条件的城市，应因地制宜，根据急救需要发展急救直升机或快艇。各级卫生行政部门要制定完善急救运输工具的使用管理制度，保证其功能正常良好。

3. 加强急救专业人员培训

编著内容统一的适合我国院前急救实际情况的培训教材，且教材内容要根据专业发展不断更新，这样才能保证对急救专业人员进行规范的理论知识和技能操作培训。建立院前急救人员准入制度，确保院前急救人员都经过专业培训并具备相应业务水平。建立急救专业人员复训和考试制度，促进急救专业人员的业务水平不断提高。EMSS 的管理人员需具有医学资格，并接受管理培训。

4. 普及社会急救

政府和各级各类医疗卫生机构应广泛宣传培训，普及急救技术，如徒手心肺复苏、骨折固定、止血、包扎、搬运等。当意外灾害发生，在专业人员尚未到达现场时，现场人员能自救和互救。广大群众在各种场所遇到伤病员时，有义务并会向就近医疗机构或急救部门进行有效呼救。社会各部门、各单位接到呼救信息，必须从人力、物力、财力和技术方面给予全力援助。

5. 完善卫生法律法规

目前，我国的急救医疗规范、装备配备标准、急救人员培训与使用、院前急救服务标准还不统一。因此，需要完善相关卫生法律法规，稳定急救队伍，加快学科发展，提高服务质量。

6. 组建布局合理的急救网络

我国人口众多，各地经济发展差异较大，卫生资源的配置利用不平衡，EMSS 的各环节存在衔接不良的问题。根据实际情况，在县级以上行政区域应组建本地区急救站、医院急诊科(室)、社区卫生服务中心等相结合的医疗急救网。省(自治区、直辖市)应建立急救中心，及时掌握急救信息，承担院前急救、院内抢救、培训和科研等工作。通过建立统一管理机构，优化急救网络，合理利用急救资源，促进 EMSS 更加完善。

思 考 ▶

1. EMSS 系统由哪些方面组成？
2. 简述急危重症护理学的研究范畴。

第一章练习题

第二章

院前急救

第一节　院前急救原则与流程

院前急救(prehospital emergency medical care)是指对急、重、危伤病员在进入医院前所进行的医疗救护，包括伤病员现场医疗救护、运送及途中监护等环节。广义上是指医疗人员或目击者在伤病现场对伤病员进行相关急救，以维持其基本生命征，减轻痛苦的医疗行为。狭义上则专指从事急诊急救医疗工作的医务人员为急、重、危伤病员提供的现场急救、分诊分流、转运和途中救护服务等。院前急救是急诊医疗服务体系的重要组成部分，被视为急诊医疗服务的首要环节，与院内急救、重症监护密切相关，越来越受到社会和医疗机构的广泛关注。

一个有效的院前急救组织应具备以下标准：①用最短的时间快速到达病人身边，根据具体病情转运到合适医院。②给病人最大可能的院前医疗救护。③平时能满足该地区院前急救的需求，灾难事件发生时应急能力强。④合理配备和有效使用急救资源，获取最佳社会、经济效益。用上述标准衡量不同组织形式，可以比较客观地反映其急救功能。

→ 一、院前急救的特点及原则

微课：院前急救流程　院前急救流程PPT

1.院前急救的特点

（1）社会性强、随机性强

院前急救活动涉及社会各个方面，使院前急救跨出了纯粹的医学领域，这就是其社会性强的表现。其随机性强则主要表现在病人何时呼救、重大事故或灾难何时发生等往往是个未知数。

（2）时间紧急

一有"呼救"必须立即出车，一到现场必须迅速抢救。不管是危重病人还是急诊病人，几乎都是急病或慢性病急性发作，必须充分体现"时间就是生命"，紧急处理，不容迟缓。紧急还表现在不少病人及其家属心理上的焦急和恐惧，要求迅速送往医院的迫切心理，即使对无生命危险的急诊病人也不例外。

（3）流动性大

院前急救流动性很大，平时救护车一般在本区域活动，而急救地点可分散在区域内各个角落。病人的流动性倾向一般也不固定，它可以是区域内每一个综合性医院（有固定接收医院的地区除外）。遇有特殊需要，如有突发灾难事故时，可能会超越行政医疗区域分管范围，并可能到邻近省、市、县寻求帮助救援，前往的出事地点其往返距离常可达数百公里。

（4）急救环境条件差

现场急救的环境大多较差，如狭窄的地方难以操作，暗淡的光线不易分辨；有时在马路街头，围观人群拥挤、嘈杂；有时事故现场的险情未排除，可能造成人员再损伤；运送途中，救护车震动和马达声常使听诊难以进行，触诊和问诊也受影响。

（5）病种复杂多样

呼救的病人涉及各科，而且是未经筛选的急症和危重症病人。

（6）以对症治疗为主

院前急救因无充足的时间和良好的条件作鉴别诊断，故要明确治疗非常困难，只能以对症治疗为主。

（7）体力消耗大

随车人员到现场前要经过途中颠簸，到现场时要随身携带急救箱；若现场在高楼且无电梯时就必须爬楼梯；若现场是在救护车无法开进的小巷或农村田埂，就必须弃车步行；到现场后随车人员不能休息，须立即对病人进行抢救，医务人员既当医生又当护士；抢救后又要边指导边搬运伤病员，运送途中还要不断观察病人的病情。上述每一环节都要消耗一定体力。

2.院前急救的原则

院前急救大多没有充分的时间和条件作鉴别诊断，要明确诊断有时很困难，要求先救命、后治病等。所以，院前急救必须遵循以对症治疗为主的原则。对症治疗和对因治疗都是有效的治疗手段。中医有"急则治其标，缓则治其本"，"标"相当于"症"，"本"相当于"因"的治疗原则。院前急救以对症治疗为主，既符合理论又结合实际。

（1）先复苏后固定

是指遇到心搏呼吸骤停又有骨折的伤病员，先行口对口人工呼吸和胸外心脏按压等技术，直至心跳呼吸恢复后，再固定骨折。

（2）先止血后包扎

是指对于有大出血又有创口的伤病员，应立即用指压、止血带或药物等方法止血，然后再消毒包扎。

（3）先重伤后轻伤

是指遇有垂危的和较轻的伤病员时，应优先抢救危重者，后抢救较轻的伤病员，特别是对那些没有呻吟的伤病员要高度重视。

（4）急救与呼救并重

遇到大批伤病员急救时，应急救和呼救同时进行，以较快地争取到急救外援。

（5）先救治后运送

过去抢救伤病员，多是先送后救，这样常耽误抢救时机。现在颠倒过来，先救后送。要暂等伤病员伤情稳定后再送，这并不等于把伤病员搁置不管，而是在现场进行 CPR、止血、固定、包扎等重要而有价值的救护工作，并注意保留伤病员离断肢体和器官。

（6）搬运与医护一致

过去在搬运危重伤病员中，搬运与医护、监护工作从思想和行动上有分家现象。搬运由交通部门负责，途中监护由卫生部门协助。在许多情况下，协调配合不够，途中继续抢救的需求没有得到保障，加之车辆严重颠簸等情况，增加了伤病员不应有的痛苦，甚至死亡。这种现象国内外屡见不鲜。因此，医护和抢运应在要求一致、协调步骤一致、完成任务的指标一致的情况下进行。在送伤病员到医院途中，不要停止抢救措施，继续观察病伤变化，少颠簸，注意保暖，这样才能减少死亡，平安抵达目的地。

二、院前急救的工作模式

1. 英美模式

英美模式突出"急"字，强调以医院急诊为中心，主张伤病员的院前快速转运，救护车一般只配备急救员和简单的药品。急救车平时就在街道上行驶，一旦接到呼救，立即直接奔赴现场，进行简单的现场医疗处置后，将伤病员迅速转送至医院，即强调在最短的时间内将伤病员送至医院。该模式采用统一的应急电话号码，集消防、警察和医疗急救为一体。采用这种院前急救工作模式的国家主要有美国、英国、澳大利亚等。

2. 欧洲模式

欧洲模式突出"救"字，强调伤病员的院前救治，救护车上一般配有经验丰富的医生和齐全的检查工具，救护车仿佛是一个移动的 ICU 病房。救护人员现场给予危重伤病员有效的救治，待生命体征平稳后，再直接转到有能力救治的医院，即强调在最短的时间里把"医院"送到伤病员的身边。该急救系统模式一般有专用的医疗急救电话号码。法国等欧洲国家采用这种急救工作模式。

此外，法国紧急医疗救助体系（SAMU）对消防部门等救援机构具有调度指挥和协同的权力，私人救护车公司、红十字协会、公民保护协会、家庭医生等也是法国院前急救系统的辅助组成部分。

3. 中国模式

我国院前急救模式总体上处于两种模式之间，院前急救人员一般是具有执业资格的医护人员，但现场救治深度又不及法-德模式。由于经济水平、急救量、急救资源等多方面因素，各地区在原有医疗体系的基础上，形成了各具特色的院前急救模式，总体可归纳为独立型、指挥型、院前型、依托型、附属消防型等模式（表 2-1-1）。但就院前急救组织质量管理内容而言，其共性的环节包括：通讯、运输、医疗（急救技术）、急救器材装备、急救网络、调度管理等。而其中通讯、运输和医疗（急救技术）被认为是院前急救的三大要素。中国的院前急救模式受经济发展水平等的影响，虽然各具特色，但同时也存在一定局限性。在未来几年，我国的院前急救模式将得到进一步发展和完善，会更加突出急救的时效性。

表 2-1-1　我国院前急救主要模式

类型	组织形式	城市和地区	代表城市
独立型	具备院前急救部、门急诊及病房，可对病人实施院前和院内治疗	中心大城市	沈阳、北京（2004 年前）
指挥型	不配备车辆和人员，只负责指挥调度	广东省为主的南方城市	广州、深圳、珠海、汕头、成都
院前型	不设病房，专门从事院前急救，设有急救分站	中心大城市和部分经济较好的中等城市	上海、杭州、北京（2004 年后）
依托型	依托于一家综合性医院，具备病房、门急诊及院前急救部	大部分中小城市和绝大多数市县级城市	重庆、海南
附属消防型	附属于消防机构，共同使用一个报警电话号码，总部下设有多个救护站，形成急救网络。其纪律严明，反应迅速	香港地区	香港

三、院前急救的工作要点

当意外伤害发生或伤病员突患急病，救护人员赶赴现场，在救护中，护士将配合医生共同完成救护任务。主要护理工作包括病情评估、伤病员现场检伤分类、急救处理、转运和途中监护等。

微课：怎样拨打120电话

怎样拨打120电话PPT

1. 病情评估

（1）病情评估的方法

病情评估时尽量不要移动伤病员的身体，尤其对不能确定的创伤和心梗病人。病情评估包括询问病史、了解症状以及对伤病员进行体格检查。

①病史　通过询问伤病员、目击者或家属可了解事情发生经过。病史的询问务求简单明确，并且询问针对伤病员病情最关键点。可能的话，应在现场寻找药瓶或血迹等以便使情况更加明确。

②症状　是指伤病员的感觉与体会,包括疼痛、麻木、失去知觉、眩晕,恶心和颤抖、抽搐等。

③体格检查　应迅速进行常规检查,从头沿着躯体到小腿和足。对急危重伤病员的检查务求简单扼要、突出重点。主要依靠视、触、叩、听等物理检查,尤其侧重对生命体征变化的观察及发现可用护理方式解决的问题,检查伤病员的呼吸与脉搏,观察是否有严重的出血或体液丢失,观察躯体是否存在肿胀或畸形、语言的表达能力以及伤病员对伤情或症状的耐受程度等,及时发现危及生命的主要问题。

在对急危重伤病员进行病情评估的过程中必须树立挽救生命为第一要素的观点,强调边评估边救治,边救治边做进一步评估。

(2)病情评估的程序

急危重伤病员情况多种多样,难以制定统一的评估程序,但评估的共同目的是要迅速找出主要矛盾,也就是在短时间内可危及伤病员生命的问题。为便于记忆,建议使用 ABCDE 的程序,这些评估几乎需要同时进行。

A(Airway)气道:检查伤病员的气道是否通畅,如有无舌根后坠堵塞喉头、口腔内异物及血液分泌物等。此时应首先托起下颌使舌根上抬,取出异物,清除口腔分泌物及积血。

B(Breathing)呼吸:观察伤病员的呼吸,注意其频率和幅度,考虑呼吸交换量是否足够。

C(Circulation)循环:检查伤病员脉搏的频率是否规则、有力,心音是否响亮,血压情况等。尤其应迅速判断有无心搏骤停,以便立即开始心肺复苏。

D(Decision)决定:根据对呼吸、循环所做出的初步检查,迅速对伤病员的基本情况做出评估,并决定要进行哪些紧急抢救措施。

E(Examination)检查:经过上述基本检查,如病情需要和许可,再做进一步检查。

为防止重要生命体征的漏诊和误诊,国内外普遍倡导采用“CRASII PLAN”的检查方法:

C(Circulation),心脏及循环系统;R(Respiration),胸部及呼吸系统;A(Abdomen),腹部脏器;S(Spine),脊柱脊髓;H(Head),颅脑;P(Pelvis),骨盆;L(Limbs),四肢;A(Arteries),周围动脉;N(Nerves),周围神经。

评估时要迅速而轻柔,不同病因伤病员评估的侧重点不同,这有赖于评估者的经验和选择,但绝不可因为评估而延误抢救及后送时机。

2.伤病员现场检伤分类

为保证有效的院前急救,对于成批伤病员,护士在进行病情评估的同时,还应进行伤病员现场检伤分类。伤病员现场检伤分类是保证加快伤病员救治和转送速度的一种有效组织手段。其主要目的是快速、准确地判断病情,掌握救治重点,确定救治和运送的次序。

(1)伤病员现场检伤分类的要求

边抢救边分类:分类工作是在特殊而紧急的情况下进行的,不能耽误抢救。

指定专人承担:分类工作很重要,应由经过训练、经验丰富、有组织能力的人员承担。

分类依次进行:分类应依先危后重,再一般(小伤势)的原则进行。

分类应快速、准确、无误。

(2)伤病员现场检伤分类的标准和方法

伤病员现场检伤分类标准有两种:一种是以现场处理时间先后为标准的分类;另一种是以伤病员病情轻重程度为标准的分类。两种分类方法既有区别又有联系,结合使用效果更好。分类时要抓住重点,以免耽误伤病员的抢救时机,判断方法可参照病情评估方法及程序进行，判断一个伤病员应在 1~2 分钟内完成。

（3）伤病员检伤分类卡

在检伤分类的同时，要给伤病员挂上相应的病情分类卡，以便参加抢救的医护人员按分类卡片进行相应处理。此卡由急救系统统一印制，通常以颜色醒目的卡片或胶带表示伤病员的分类，通常采用红、黄、绿、黑四色系统。卡片上的项目应包括：伤病员的姓名或编号、初步诊断、是否需要现场紧急处理等，卡片常挂在伤病员左胸的衣服上或其他明显部位。

红色：代表危重伤，第一优先。伤情非常紧急，危及生命，生命体征不稳定，需立即给予基本生命支持，并在 1 小时内转运到确定性医疗单位救治。

黄色：代表中重伤，第二优先。生命体征稳定的严重损伤，有潜在危险。此类伤病员应急救后优先送，在 4~6 小时内得到有效治疗。

绿色：代表轻伤，第三优先。不紧急，能行走的伤病员，较小的损伤，可能不需要立即入院治疗。

黑色：代表致命伤。指已死亡、没有生还可能性、治疗为时已晚的伤病员。

（4）现场急救区的划分

现场有大批伤病员时，应首先区分出以下四个区，以便有条不紊地进行急救。

收容区：伤病员集中区，在此挂上分类标签及方向指示标记，并提供必要的紧急复苏等。

急救区：用于安置危重伤病员，在此做进一步抢救工作，如对休克、呼吸及心搏骤停者进行心肺复苏。

后送区：接受能自己行走或较轻的伤病员。

太平区：停放死亡者。

3. 急救处理

在进行初步的病情评估及现场伤病员的检伤分类后，护士应协助医生对伤病员进行急救处理，并根据医嘱进行相应治疗。常规的处理措施包括：

（1）体位的安置　在不影响急救处理的情况下，将伤病员放置成安全舒适的体位，如平卧位头偏向一侧或屈膝侧卧位。这种体位可使伤病员最大限度地放松，且保持呼吸道通畅，防止误吸发生，尤其是在处理成批伤病员时，对轻症或重度不能照顾周全者，这种体位具有最大的安全性。但若疑有颈椎或脊柱、骨盆骨折者则宜平卧于硬担架床上。

（2）建立有效的静脉通路　选用静脉留置针，既保证液体快速通畅，又可防止伤病员在躁动、改变体位和转运中针头滑脱。对抢救创伤出血、休克等危重伤病员十分有利。

（3）防差错事故　院前急救工作紧张，医生只下达口头医嘱，护士必须执行"三清一核对"，即：听清、问清、看清，并与医生核对药物名称、剂量、浓度和用法，注意药物配伍禁忌，严防差错事故发生。用过的安瓿应暂时保留，以便核查。

（4）学会脱去伤病员衣服的技巧

脱上衣法，解开衣扣，将衣服尽量向肩部方向推，背部衣服向上平拉。如伤病员有一侧上肢受伤，脱去衣袖时，应先健侧后患侧，提起一侧手臂，使其屈曲，将肘关节和前臂及手从腋窝位拉出，脱下衣服，将扣子包在里面，可以打成圈状，将衣服从颈后平推至对侧，拉起衣袖，使衣袖从另一侧上臂脱出。如伤病员生命垂危、情况紧急、肢体开放性损伤或穿有套头式衣服较难脱去时，可直接使用剪刀剪开衣服，为急救争取时间。

①脱长裤法　伤病员呈平卧位，解开腰带及扣，从腰部将长裤推至髋下，保持双下肢平

直,不可随意抬高或屈曲,将长裤平拉下脱出。如确知伤病员无下肢骨折,可以屈曲,小腿抬高,拉下长裤。

②脱鞋袜法　托起并固定住踝部,以减少震动,解开鞋带,向下再向前顺脚方向脱下鞋袜。

③脱除头盔法　如伤病员有头部创伤,且因头盔而妨碍呼吸时,应及时去除头盔。但对于疑有颈椎创伤者应十分慎重,必要时与医生合作处理。如伤病员无颅脑外伤且呼吸良好,去除头盔较为困难时,可不必去除。去除头盔方法是,用力将头盔的边向外侧扳开,解除夹头的压力,再将头盔向后上方托起,即可去除。整个动作应稳妥,不能粗暴,以免加重伤情。

伤病员经上述措施后,为抢救和治疗提供了方便。此时,应迅速做初步处理,如给药、清创、加压包扎和止血等。

在急救过程中,还可采用中医的"急救五招",即切人中、抓肩井、抓腋下、切合谷及喂服温开水,对于休克、昏迷、眩晕、虚弱的病人十分实用有效。切人中,人中位于鼻下口上中央凹陷处,用拇指指甲重切,有直接兴奋中枢神经、回阳救脱之效,一切昏厥都应善用此穴。抓肩井,肩井位于肩头与第七颈椎之中点,重抓肩井,可以快速提振精神,达到急救的效果,夏天闷热中暑,最宜重抓肩井。抓腋下,腋下大筋,前为肺经,后为心经,心肺功能衰竭,重抓之,可以提气提神,强心补气,缓和心肺衰竭之势。切合谷,合谷位于拇指与中指连线之后,是全身免疫系统最强功效的穴道,强刺激下,效果甚大。喂服温开水,疏气润喉,回阳救逆,是提升元阳之气的最简便方法,若以姜汤代之更佳。然以上的急救五招,若能配合十宣穴微刺出血,效果更佳,因能即时降低体温之故。若不明十宣穴亦无妨,只需在十指尖刺破出血即可,工具要以现场即时可用者为第一选择。

4. 转运和途中护理

(1)转送指征

①符合以下条件之一者可转送　伤情需要,现场不能提供确定治疗或处理后出现并发症者;伤病员或家属要求,需仔细评估确认伤病员不会因搬动和转送而使伤情恶化甚至危及生命。

②暂缓转送指征　有以下情况之一者应暂缓转送:休克未纠正,血流动力学不稳定者;颅脑外伤疑有颅内高压、可能发生脑疝者;颈髓损伤有呼吸功能障碍者;胸、腹部损伤后伤情不稳定,随时有生命危险者;被转送人员或家属依从性差。

(2)转送注意事项

①转送顺序　危及生命需立即治疗的严重创伤者>需急诊救治可能有生命危险者>需要医学观察的非急性损伤者>不需要医疗帮助或现场已死亡者。

②保持通讯畅通　转送方及接收方及时沟通转送及接收的要求与注意事项,并保持联系。

③转送安全性评估　转送前再次全面评估并记录气道、呼吸、心率、脉搏、氧饱和度、血压以及神经系统检查结果等,确保转送安全。

④知情同意　向病人及家属交代病情,告知转送的必要性和途中可能的风险,征得同意并签字后实施转送。

(3)转送途中护理要点

①担架转送伤病员的护理　一是安置合理体位,一般取平卧位,如有特殊伤情,可根据病情采取不同体位。二是防止坠伤,妥善系好固定带,行进过程中使担架平稳,防止颠簸,注意不要让伤病员从担架上跌落。三是注意舒适护理,做好保暖、防雨、防暑。四是加强病

情观察，应使伤病员的头部向后、足部在前，方便病情观察，发现变化及时处理。

②陆运转送伤病员的护理　一是准备车辆和器材，备好各种物资、器械、药物、护理用具和医疗文件等。二是伤病员的准备，根据伤病情及有无晕车史等，遵医嘱给予止痛、止血、镇静、防晕车等药物。三是安置合理体位，防坠伤，加强病情观察，保证途中治疗。四是下车时的护理，安排危重伤病员先下车，清点伤病员总数，了解重伤病员，做好交接。

③水运转送伤病员的护理　一是防晕船，晕船者预先口服茶苯海明（乘晕宁）。二是防窒息，有昏迷、晕船呕吐者头转向一侧，随时清除呕吐物。三是妥善固定，使用固定带将伤病员固定于舱位上。保持自身平衡，妥善实施护理操作。四是病情观察及其他护理措施，同陆路转送的护理。

④空运伤病员的护理　一是合理安放伤病员的位置，大型运输机中伤病员可横放两排，中间留出过道，休克者应头部朝向机尾。若为直升机，伤病员应从上至下逐层安置担架，重伤病员应安置在最下层。二是加强呼吸道护理，空中温度和湿度均较低，对气管切开者应用雾化器、加湿器等湿化空气，或定时给予气管内滴入等渗盐水。对使用气管插管者，应减少气囊中注入的空气量，或改用盐水充填，以免在高空中气囊过度膨胀，压迫气管黏膜造成缺血性坏死。三是特殊伤情的护理，外伤致脑脊液漏者，因气压低，漏出量会增加，需用多层无菌纱布保护，及时更换敷料，预防逆行感染。四是中等以上气胸或开放性气胸者，空运前应反复抽气，或做好胸腔闭式引流，使气体减少至最低限度。其他护理工作同陆路转送的护理。

第二节　心搏骤停病人的院前急救

心搏骤停是临床上最危重的急症，如果救治不及时，将迅速发生不可逆转的生物学死亡。心搏骤停发生后应立即实施胸外心脏按压和电击除颤等心肺复苏措施，对提高病人的存活机会和改善复苏后生活质量具有重要意义，是避免生物学死亡的关键。

知识点案例：心搏骤停病人的院前急救

一、认识心搏骤停

心搏骤停（cardiac arrest，CA）是指心脏有效射血功能的突然终止，是心脏性猝死的最主要原因。心脏性猝死（sudden cardiac death，SCD）是指由于各种心脏原因，引起的以意识丧失为先导的自然死亡，死亡发生在症状出现后 1 小时内。心脏性猝死的主要表现为心脏原因引起的胸痛、气促等急性发作后 1 小时之内死亡，发现之前往往没有征兆，一旦发生，有效营救时间短暂。我国心脏性猝死发生率为 41.84/10 万，男性高于女性。

微课：认识心搏骤停　　认识心搏骤停PPT

1.心搏骤停时的常见心律失常

心搏骤停时最常见的心律失常为室颤或无脉性室性心动过速，其次为心脏静止和无脉性电活动。

（1）室颤（ventricular fibrillation，VF）是指心室肌发生快速、不规则、不协调的颤动。心电图表现为 QRS 波群消失，代之以大小不等、形态各异的颤动波，频率可为 200~400 次/分（图 2-2-1）。

（2）无脉性室性心动过速（pulseless ventricular tachycardia，PVT）因室颤而猝死的病人，常先有室性心动过速，可为单形性或多形性室速表现，但大动脉没有搏动。

（3）心脏静止（asystole）更确切的是心室停搏（ventricular asystole），是指心肌完全失去机械收缩能力。此时，心室没有电活动，可伴或不伴心房电活动。心电图往往呈一条直线，或偶有 P 波。

（4）无脉性电活动（pulseless electrical activity，PEA）其定义是心脏有持续的电活动，但失去有效的机械收缩功能。心电图可表现为不同种类或节律的电活动，但心脏已丧失排血功能，因此往往摸不到大动脉搏动。

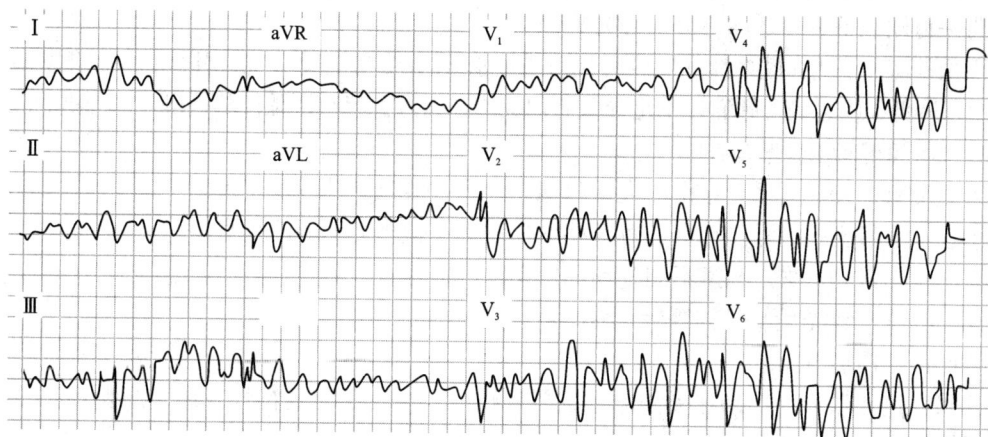

图 2-2-1 室颤心电图

2. 心搏骤停后的病理生理变化

（1）心搏骤停后，心泵的功能完全丧失，血液因失去推动循环的动力而停止流动，血氧浓度显著降低，全身组织器官均处于缺血缺氧状态，导致细胞内线粒体功能障碍和多种酶功能失活，造成组织器官损伤，缺血缺氧时间过长就会发生不可逆性的损伤。

（2）心搏骤停后，体内各主要脏器对无氧、缺血的耐受能力或阈值不同。正常体温时，中枢神经系统对缺氧、缺血的耐受程度最差。脑组织重量只占体重的 2%，但它对氧摄取量和血供的需求却很大。静息时它的氧摄取量占人体总氧摄取量的 20%，血液供应量为心排血量的 15%，所以在缺血缺氧时，最先受到损害的便是脑组织。

（3）脑组织对缺血、缺氧最为敏感，一般在发生心搏骤停后的几秒钟内，由于脑血流量急剧减少，病人即可发生意识突然丧失，伴有局部或全身性抽搐。由于尿道括约肌和肛门括约肌松弛，会同时出现大小便失禁。心搏骤停发生的 20~30 秒钟内，由于脑组织中尚存的少量含氧血液会短暂刺激呼吸中枢，呼吸呈叹息样或短促痉挛性呼吸，随后呼吸停止。停搏 60 秒左右可出现瞳孔散大。停搏 4~6 分钟，脑组织即可发生不可逆的损害，数分钟后即可从临床死亡过渡到生物学死亡。

3.心搏骤停的常见病因

导致心搏骤停的主要病因包括心源性和非心源性因素。

（1）心源性病因　是因心脏本身的病变所致。绝大多数心脏性猝死发生在有器质性心脏病的病人。冠心病是导致成人心搏骤停的最主要病因，约80%心脏性猝死是由冠心病及其并发症引起，而这些冠心病病人中约75%有急性心肌梗死病史。在急性心肌梗死早期或严重心肌缺血时，室颤是冠心病病人猝死的最常见原因，可占60%~80%。心肌梗死存活者存在频发性与复杂性室性期前收缩，或心肌梗死后左室射血分数降低，均预示有发生心脏性猝死的危险。各种心肌病引起的心脏性猝死占5%~15%，是冠心病易患年龄前（<35岁）心脏性猝死的主要原因，如梗阻性肥厚型心肌病。严重缓慢性心律失常和心室停顿是心脏性猝死的另一重要原因。

（2）非心源性病因　是因其他疾患或因素影响到心脏所致，如各种原因所导致的呼吸停止、严重的电解质与酸碱失衡影响心脏的自律性和心肌的收缩性、严重创伤导致低血容量引起心肌缺血缺氧等，最终均可引发心搏骤停。

不论是何种病因，最终都直接或间接影响心脏电活动和生理功能，引起心肌收缩力减弱、心输出量降低、或冠状动脉灌注不足导致心律失常，成为引起心搏骤停的病理生理学基础。

4.心搏骤停的典型"三联征"

为突发意识丧失、呼吸停止和大动脉搏动消失，临床上具体可表现为

①意识突然丧失，可伴有全身短暂性抽搐和大小便失禁，随即全身松软。

②大动脉搏动消失，触摸不到颈动脉搏动。

③呼吸停止或先呈叹息样呼吸，继而停止。

④面色苍白或青紫。

⑤双侧瞳孔散大。如果呼吸先停止或严重缺氧，则表现为进行性发绀、意识丧失、心率逐渐减慢，随后心跳停止。

二、现场心肺复苏

在心搏骤停病人发病现场进行的徒手心肺复苏技术，即心肺脑复苏（CPCR）中的第一个阶段的 CAB 三步。基础生命支持（BLS）又称初期复苏处理或现场急救。其主要目标是向心、脑及全身重要器官供氧，延长机体耐受临床死亡时间（临床死亡指心跳、呼吸停止，机体完全缺血，但尚存在心肺复苏及脑复苏机会的一段时间，通常约4分钟）。BLS包括：心跳、呼吸停止的判定，胸外心脏按压（C）、开放气道（A）、人工通气（B），有条件时可考虑实施电除颤（D）治疗，转运等环节，即 CPR 的 CAB 步骤。

微课：现场心肺复苏概述（院前）

现场心肺复苏概述（院前）PPT

微课：心肺复苏中的体位安置

微课：现场心肺复苏操作

案例：病人陈某，男性，65 岁，15 分钟前步行时，突感胸部不适，由家人陪同步入急诊科。既往曾有类似"胸痛"等症状到医院就诊，但其心电图未见明显异常，之后并未进行系统性的检查与治疗。急诊科护士接诊后，立即用轮椅将病人推至诊查床旁，准备测量生命体征，并通知医生为其诊查。当协助其到诊查床上时，病人突然发生抽搐，意识丧失，瘫倒在诊查床上。

思考：(1)陈某发生了什么情况？

(2)如果你作为现场的急诊科护士，应该立即采取哪些急救措施？

如旁观者未经过 CPR 培训，则应进行单纯胸外按压的 CPR，直至自动体外除颤仪（AED）到达且可供使用，或急救人员及其他相关施救者已接管病人。经过培训的施救者可同时进行几个步骤(即同时检查呼吸和脉搏)，以缩短开始首次胸部按压的时间。如有多名施救者组成的综合救治小组，则可由 1 名施救者启动应急反应系统，第 2 名施救者开始胸外按压，第 3 名进行通气或取得球囊-面罩进行人工通气，第 4 名取回并设置好除颤仪，同时完成多个步骤和评估。

1.识别

在安全情况下，快速识别和判断心搏骤停采取轻拍或摇动病人双肩的方法，并大声呼叫："喂，你能听见我说话吗？"判断病人有无反应(图 2-2-2)，同时立即检查呼吸和大动脉搏动。判断有无有效呼吸时，可观察病人面部、呼吸情形和胸廓有无起伏。成人和儿童检查其颈动脉，方法是食指和中指的指尖平齐并拢，从病人的气管正中部位向旁滑移 2~3 cm，在胸锁乳突肌内侧轻触颈动脉搏动。婴儿可检查其肱动脉。检查时间应至少 5 秒钟但不超过 10 秒钟(图 2-2-3)。

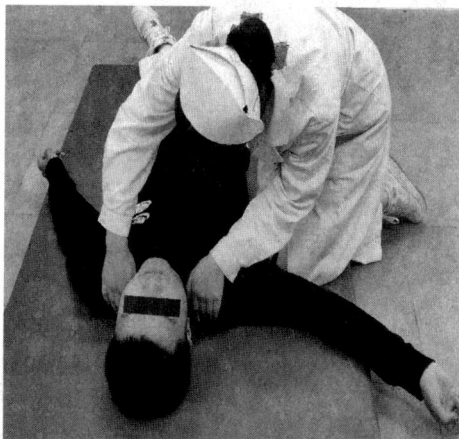

图 2-2-2　识别判断意识

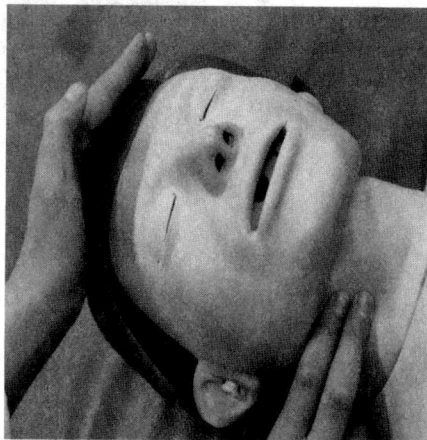

图 2-2-3　触摸颈动脉

2.启动应急反应系统

在院外，如果病人无反应，应立即呼叫帮助，请他人或通过手机拨打"120"，启动应急反应系统，有条件的同时获取自动体外除颤仪（AED）。在院内，判断病人无反应、无呼吸、无大动脉搏动时，应立即呼叫医护团队或紧急快速反应小组，获取除颤仪等急救设备与物品。

3.胸外按压

一旦判断病人发生心搏骤停，或不确定是否有脉搏时，均应立即开始胸外按压，尽快提供循环支持（circulation，C）。胸外按压是对胸骨下段有节律地按压，通过增加胸内压或直接挤压心脏产生血液流动，可为心脏和脑等重要器官提供一定含氧的血流。对倒地至第一次电击的时间超过4分钟的病人，胸外按压更为重要。有效的胸外按压可产生60~80 mmHg的收缩期动脉峰压。

（1）按压时，应让病人仰卧于坚硬的平面上，头部位置尽量低于心脏，使血液容易流向头部。如果病人躺卧在软床上，应将木板放置在病人身下，以保证按压的有效性。为保证按压时力量垂直作用于胸骨，施救者可根据病人所处位置的高低，采取跪式或站式（需要时，用脚凳垫高）等不同体位进行按压。

（2）胸外按压的部位成人胸外按压的部位是在胸部正中，胸骨的下半部，相当于男性两乳头连线之间的胸骨处（图2-2-4）。婴儿按压部位在两乳头连线之间稍下方的胸骨处。

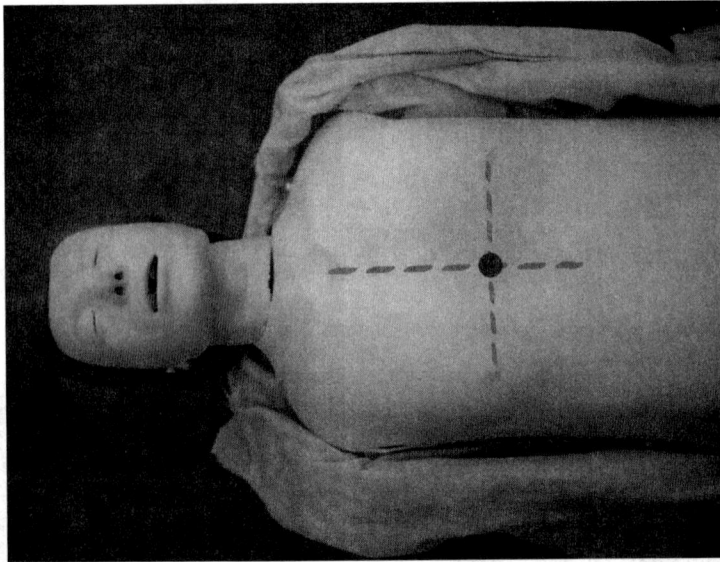

图2-2-4　胸外按压的部位

（3）胸外按压的方法　按压时，施救者一只手的掌根部放在胸骨按压部位，另一只手平行叠加在其上，两手手指交叉紧紧相扣，手指尽量向上，保证手掌根部用力在胸骨上，避免发生肋骨骨折。按压时，身体稍前倾，双肩在病人胸骨正上方，双臂绷紧伸直，以髋关节为支点，依靠肩部和背部的力量垂直向下用力按压（图2-2-5），按压和放松的时间大致相等，按压时应高声匀速计数。

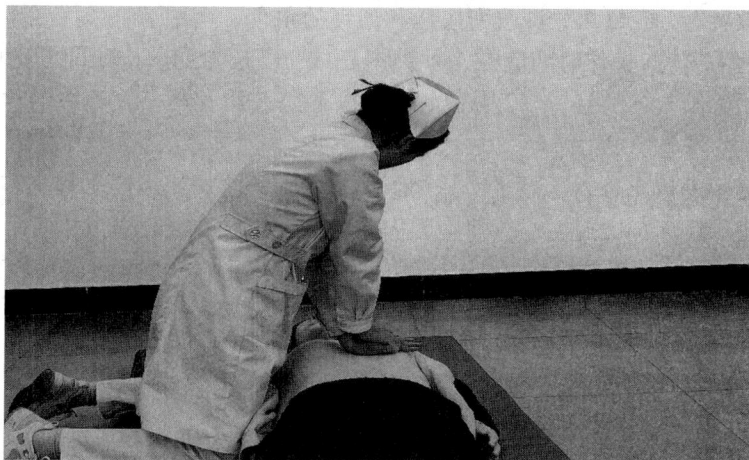

图 2-2-5　胸外按压的方法

（4）高质量心肺复苏要点

①保证按压频率和按压深度　按压的频率为 100～120 次/分（15～18 秒钟完成 30 次按压），按压深度至少为 5 cm，但不能超过 6 cm，应避免过度按压和按压深度的不够。8 岁以下儿童按压深度至少达到胸廓前后径的 1/3，婴儿大约 4 cm，儿童大约为 5 cm。当按压频率大于 120 次/分时，按压深度会随着频率的增加而减少。

微课：胸外心脏按压

②按压期间，保证胸廓完全回弹　按压放松时，手掌根部既不要离开胸壁，也不要倚靠在病人胸壁上施加任何压力。因为在心肺复苏的按压过程中，只有当按压放松使胸骨回复到自然位置时，胸廓才可以完全回弹。胸壁回弹产生胸内负压，静脉血回流到心脏，增加心脏的血流，按压间期倚靠在胸壁上会导致胸壁无法完全回弹。不完全的胸壁回弹可使胸内压增加，导致回心血量和心肌血流减少，冠脉灌注压降低，影响复苏效果。

③尽量减少胸外按压中断　应尽量减少胸外按压中断的次数及缩短每次中断的时间，或尽可能将中断控制在 10 秒钟以内，以增加胸外按压时间比，使其至少能达到 60%。胸外按压时间比（chest compression fraction，CCF）是指实施胸外按压的时间占总体复苏时间的比率。设置胸外按压时间比的目标是为了能尽可能减少胸外按压的中断，从而增加在 CPR 过程中冠脉灌注与血流，可以通过减少胸外按压的停顿而增加胸外按压时间比。

④不要过度通气　在心肺复苏过程中，人工通气的目的是维持足够的氧合和充分清除二氧化碳，但不应给予过频过多的通气。其理由是心肺复苏期间，肺血流量大幅度减少，为维持正常的通气/血流比例，通气量不宜过大。另外，过频过多的通气将增加胸腔内压力，减少静脉回心血量，降低心输出量。过多通气亦可导致胃胀气，胃内容物反流，误吸性肺炎的风险加大。此外，胃胀气使膈肌抬高，限制肺的活动，降低呼吸系统的顺应性。

⑤对于未置入高级气道的成人病人，不论单人与双人心肺复苏，按压与通气之比均为 30：2。对于儿童和婴儿，单人心肺复苏时，按压/通气比例同成人，但当双人心肺复苏时，按压/通气比例为 15：2，因为儿童和婴儿发生心搏骤停多是由于呼吸因素所致。

⑥按压者的更换　为保证高质量的胸外按压，避免按压者疲劳和胸部按压质量降低，有

两个或多个施救者时,应每 2 分钟改变按压和通气的角色。运用 AED 时,在机器提示"分析心律"时交换角色。换人操作时间应在 5 秒钟内完成,以减少胸部按压间断的时间。对于没有高级气道接受心肺复苏的心搏骤停病人,要提高心脏按压在整个复苏中的比例,目标为至少 60%。

⑦高质量的胸外按压有利于冠状动脉和脑动脉得到灌注。如果按压频率和深度不足、按压间断过久或过于频繁加之过度通气使胸腔内压增高,会减少回心血量,继而影响心输出量和重要器官的血液灌注,最终降低复苏的成功率。

4. 开放气道(airway, A)

常用开放气道方法包括:

(1)仰头抬颏/颌法(head tilt-chin lift)   适用于没有头和颈部创伤的伤病员。方法是:病人取仰卧位,施救者站在病人一侧,将一只手置于病人前额部用力使头后仰,另一只手食指和中指置于下颌角处向上抬颏(颌),使下颌角、耳垂连线与地面垂直(图 2-2-6)。

微课:开放气道和
人工呼吸

图 2-2-6 仰头抬颏/颌法

(2)托颌法(jaw thrust)   此开放气道法适用于疑似头、颈部损伤者。方法是:病人平卧,施救者位于病人头侧,两手拇指置于病人口角旁,其余四指托住病人下颌部位,在保证头部和颈部固定的前提下,用力将病人下颌向上抬起,使下齿高于上齿。

5. 人工通气(breathing, B)

如果病人没有呼吸或不能正常呼吸(或仅是叹息),应立即给予口对口、口对面罩等人工通气。

(1)口对口人工通气   在保持气道通畅和病人口部张开时进行。施救者用置于病人前额的手拇指与示指捏住病人鼻孔,用口唇把病人的口唇完全罩住,进行缓慢人工通气。施救者实施人工通气前,正常吸气即可,不需要深吸气(图 2-2-7)。通气完毕,施救者应立即脱离病人口唇部,同时放松捏闭病人鼻部的手指,使病人能从鼻孔呼出气体。采取口对口人工通气时,一定要注意应用合适的通气防护装置,既能保证通气效果又能有效保护施救者。目前，市场上有多种商品可供选择。

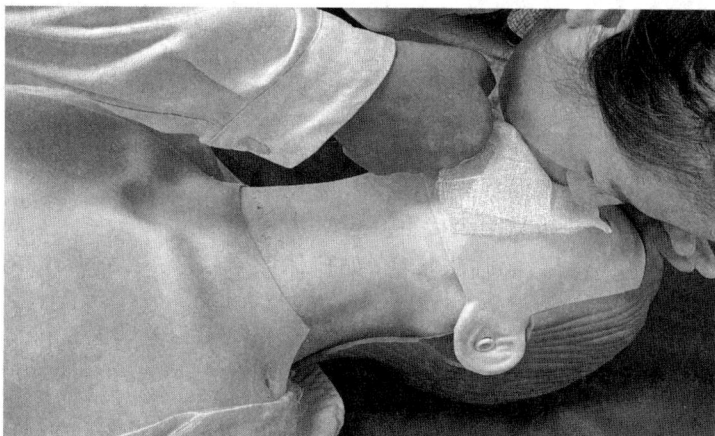

图 2-2-7　口对口人工呼吸

（2）口对面罩通气　其方法是单人施救者在心搏骤停病人的一侧，完成 30 次胸外按压之后，将面罩置于病人口鼻部，使用靠近病人头顶的手，将食指和拇指放在面罩的两侧边缘，将另一只手的拇指放在面罩的下缘固定，封闭好面罩，其余手指置于下颌骨边缘提起下颌（颏）以开放气道。施救者经面罩通气至病人胸廓抬起，然后将面罩离开口，使病人呼出气体。

每 30 次按压后，通气 2 次，每次通气应持续 1 秒钟，使胸廓明显起伏，保证有足够的气体进入肺部，但应注意避免过度通气。如果病人有自主循环存在，但需要呼吸支持，人工通气的频率为每分钟 10~12 次，即每 5~6 秒钟给予人工通气 1 次。婴儿和儿童的通气频率为12~20 次/分。

上述通气方式只是临时性抢救措施，应尽快获得专业团队人员的支持，应用球囊-面罩进行通气或建立高级气道（气管插管）给予机械辅助通气与输氧，及时纠正低氧血症。

6. 早期除颤（defibrillation，D）

除颤的机制是利用除颤仪在瞬间释放高压电流经胸壁到心脏，使心肌细胞瞬间同时除极，终止导致心律失常的异常折返或异位兴奋灶，从而恢复窦性心律。由于室颤是非创伤心搏骤停病人最常见的心律失常，除颤是终止室颤最迅速、最有效的方法。CPR 的关键起始措施是胸外按压和早期除颤。所以，如果具备 AED，应该联合应用 CPR 和 AED。

微课：自动体外除颤仪（AED）的使用

除颤具有时间效应，每延迟除颤 1 分钟，复苏成功率下降 7%~10%。故尽早除颤可显著提高复苏成功率。但对非目击的心搏骤停（>4 分钟），则应先进行 5 个循环 30：2（大约 2 分钟）的 CPR，然后再给予除颤，其目的是先使心脏获得灌注，从而使除颤更有效。除颤之后应立即给予 5 个循环 30：2 的高质量 CPR 后再检查脉搏和心律，必要时再进行另一次电击除颤。

高能量的除颤一次即可消除 90% 以上的室颤。如果除颤不能消除室颤，则此种室颤可能属于低幅波类型，通常是因为心肌缺氧。所以，应先进行 2 分钟的 CPR，使心肌恢复供氧后再分析心律决定是否除颤。

目前生产的 AED 和手动除颤仪几乎都是双相波除颤仪,除颤能量为 120~200 J。使用单相波除颤仪时除颤能量为 360 J,后续除颤能量相同或选择更高能量。婴儿与儿童除颤理想能量目前仍不清楚,但认为合理的除颤能量是 2~4 J/kg。首剂量可先考虑 2J/kg,后续可酌情提高能量,但不能超过 10 J/kg 或成人剂量。

7. 院前心肺复苏的终止或不实施心肺复苏的情况

(1)伤病员恢复有效的自主循环和自主呼吸。

(2)由更专业的生命支持抢救小组接手。

(3)存在明显不可逆性死亡的临床特征(如尸体僵直、尸斑、斩首、身体横断、尸体腐烂)。

(4)施救者如果继续复苏将对自身产生危险或将其他人员置于危险境地时(如感染传染性疾病)。

(5)病人生前有拒绝复苏遗愿(Do Not Attempt Resuscitation Order,DNAR),此项应根据具体情况谨慎决定。

8. 心肺复苏效果的判断

判断心肺复苏是否有效,可注意观察:

(1)颈动脉搏动　停止按压后,触摸颈动脉有搏动,说明病人自主循环已恢复。如停止按压,搏动未恢复,则应继续进行胸外按压。按压期间,每次按压可以摸到一次大动脉搏动,说明按压有效。

(2)自主呼吸出现　如果复苏有效,自主呼吸也可能恢复。

(3)神志　复苏有效,可见病人有眼球活动,眶上神经反射存在,甚至手脚开始抽动,肌张力增加。

(4)瞳孔　复苏有效时,对光反射出现,瞳孔由散大开始回缩;如瞳孔由小变大、固定,则说明复苏无效。

(5)面色、口唇、甲床、皮肤　复苏有效时,可见面色、口唇及甲床、皮肤由紫绀转为红润。如若变为灰白,则说明复苏无效。

9. 注意事项

预防胃胀气:防止胃胀气的发生,吹气时间要长,气流速度要慢,从而降低最大吸气压。如果病人已发生胃胀气,施救者可用手轻按其上腹部,以利于胃内气体的排出,如有反流或呕吐,要将病人头部偏向一侧防止呕吐物误吸。也可放置鼻胃管,抽出胃内气体。

第三节　气道异物梗阻病人的院前急救

气道异物梗阻在日常生活中非常多见,常发生于进食时。异物进入呼吸道后,大的异物停滞在气道口,小的异物易嵌于支气管。严重的病人因缺氧会很快出现发绀,最终引起意识丧失和心搏、呼吸骤停。早期识别气道梗阻是抢救成功的关键,如超过 4 min 就会危及生命,而且即使抢救成功,也常因脑部缺氧过久而致失语、智力障碍、瘫痪等后遗症。而超过 10 min,其损伤几乎不可恢复。

◆ 一、认识气道异物梗阻

1.引起气道异物梗阻的原因

容易引起气道梗阻的常见异物有果冻、糖果、花生米、话梅、药片、瓜子、纽扣等,常见的原因有以下几种:

知识点案例:气道异物梗阻病人的院前急救

微课:为什么会发生气道异物梗阻

为什么会发生气道异物梗阻PPT

（1）饮食不慎　婴幼儿和儿童,特别是1~3岁的儿童,会厌软骨发育不成熟,反射功能差,防御咳嗽力弱,常有饮食时嬉闹和口含异物的习惯,易将口腔中的物品误吸入呼吸道导致梗阻。成人大多发生在进餐时,因进食急促,尤其是在摄入大块的、咀嚼不全的硬质食物时,若同时大笑或说话,极易使一些食物团块滑入呼吸道引起梗阻。部分老年人可因咳嗽、吞咽功能差,稍有不慎可使食物或活动性义齿误入呼吸道而引起梗阻。

（2）酗酒　大量饮酒时,由于血液中乙醇浓度升高,使咽喉部肌肉松弛而吞咽失灵,食物团块极易滑入呼吸道。

（3）昏迷　各种原因所致的昏迷病人,因舌根后坠,胃内容物反流入咽部,阻塞或误吸入呼吸道导致气道梗阻。

（4）其他　如企图自杀者或精神病病人,故意将异物送入口腔进入呼吸道。

2.临床表现

呼吸道部分或完全梗阻后,病人常常突发呛咳、声音嘶哑、呼吸困难、发绀等。

微课:怎么判断是否发生了气道异物梗阻

怎么判断是否发生了气道异物梗阻PPT

（1）特殊表现　由于异物进入气道时感到极度不适,病人常常不由自主地以双手呈V状紧贴于颈前咽喉部,以示痛苦和求救。

（2）气道部分阻塞　病人出现咳嗽、喘气或咳嗽弱而无力,呼吸困难,张口吸气时有高调哮鸣音或犬吠声,面色苍白,口唇发绀。

（3）气道完全阻塞　病人突发气急,无法发音说话,不能咳嗽,不能呼吸,面色发绀,如不及时处理,数分钟即会出现意识丧失,昏倒在地,可引起心搏骤停导致死亡。

知识链接

案例:正月十五吃汤圆是我国的一项传统民俗,既代表团圆,又寓意添岁。然而,一粒小小的汤圆,让一名年过80岁的老人再也无法添岁增福。因为这名老人在农历新年吃汤圆时,不慎被噎住,等120赶到时,已经没有了自主呼吸,四肢冰凉,窒息而死。

思考:(1)老人发生了什么?

(2)如果你是老人的家人,你应该怎么做?

二、气道异物梗阻的现场急救

1. 急救原则

气道阻塞病人常突然发病，病情危重，短时间内可危及生命，急救的原则是立即解除气道梗阻，保持呼吸道通畅。

2. 急救措施

第一目击者必须能识别气道梗阻的表现，特别是在没有明显原因的情况下，如在就餐过程中，病人突然面色发绀，意识不清、停止呼吸，容易误认为是心脏病发作。这时，目击者应及时询问病人："气道内是否有异物?"清醒的病人会点头告知。现场急救应使用简单易行、实用性强、不借助医疗设备能立即将气道异物排出的方法畅通气道，使呼吸气体得以进出。

微课：成人气道异物梗阻的现场急救

成人气道异物梗阻的现场急救PPT

(1) 自救法

①咳嗽　异物仅造成不完全性呼吸道阻塞，病人尚能发音、说话、有呼吸和咳嗽，应鼓励病人自行咳嗽和尽力呼吸，不应干扰病人自己力争排出异物的任何动作。自主咳嗽所产生的气流压力比人工咳嗽高4~8倍，通常用此方法排除呼吸道异物的效果较好。

②腹部手拳冲击法　病人一手拳置于自己上腹部，在脐和剑突中间，另一手紧握该拳，用力向内、向上做4~6次快速连续冲击。

③上腹部倾压椅背　病人将上腹部迅速倾压于椅背、桌角、铁杆、树桩和或其他硬物上，然后做迅猛向前倾压的动作，以造成人工咳嗽，驱出呼吸道异物(图2-3-1)。

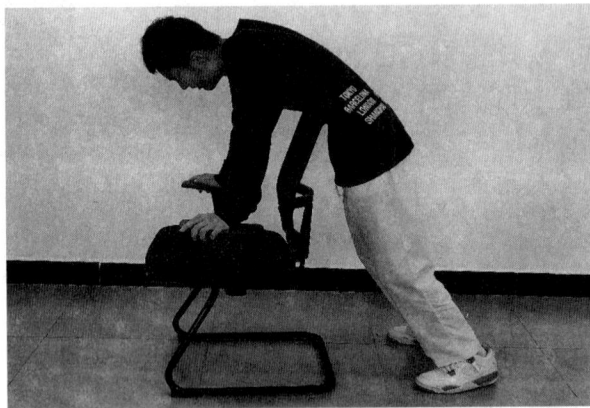

图 2-3-1　椅背自救法

(2) 大于1岁以上儿童和成人气道异物梗阻的互救法

如果病人只表现出轻度的气道梗阻症状，则鼓励其继续咳嗽，但要严密观察病人病情变化。

①拍背法　如果病人表现为严重的气道梗阻症状，但意

微课：特殊人群气道异物梗阻的现场急救

特殊人群气道异物梗阻的现场急救PPT

识尚清，可取立位或坐位，急救者在病人的侧后位。一手置病人胸部以支撑病人，另一手掌根在病人两肩胛骨之间进行4~6次大力拍击。拍击时应注意，病人头部要保持在胸部水平或低于胸部水平，充分利用重力作用使异物驱出体外，拍击应快而有力。

②**手拳冲击法**　腹部手拳冲击法又称海姆立克法急救法（Hei mLich）。

1）对意识不清病人，可将病人放置于仰卧位，使头后仰，开放气道。急救者骑跨在病人的髋部，一手掌根部置于腹正中线脐上2横指处，另一手直接放于该手手背上，两手掌根重叠，快速向内、向上用力向腹部冲击4~6次，检查口腔，直至异物排出，切勿偏斜或移动，以免损伤肝、脾等器官（图2-3-2）。

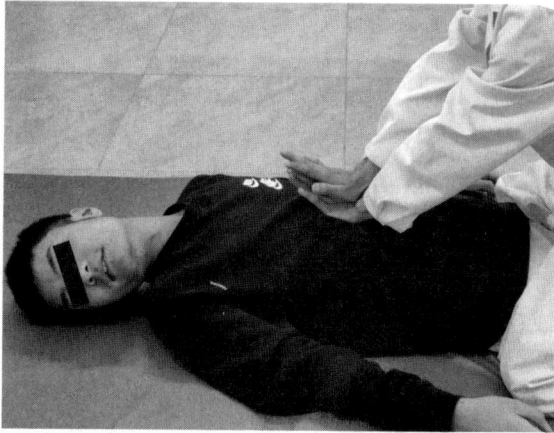

图2-3-2　手拳冲击法意识不清病人

2）对意识清楚的病人，取立位或坐位，急救者站于病人身后，用双臂环抱其腰部，嘱病人弯腰、头部前倾。抢救者一手握空心拳，拳眼置于病人腹正中线脐上两横指处，另一手紧握该拳压紧腹部，并用力快速向内、向上冲压4~6次，以此造成人工咳嗽，驱出异物（图2-3-3）。注意施力方向，防止胸部和腹内脏器损伤。

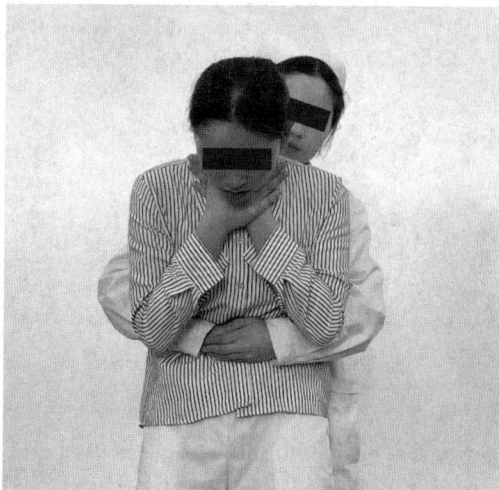

图2-3-3　海姆立克法急救法（意识清楚者）

③胸部手拳冲击法

适宜于肥胖病人或妊娠后期孕妇,急救者的双手无法环抱病人腰部时。

1)意识清楚的病人　取立位或坐位,急救者站于病人背侧,双臂经病人腋下环抱其胸部,一手的手拳拇指侧顶住病人胸骨中下部,另一手紧握该拳,向后做4~6次快速连续冲击。注意不要将手拳顶住剑突,以免造成骨折或内脏损伤。

2)意识不清的病人　取仰卧位,屈膝,开放气道。急救者跪于病人一侧,相当于病人的肩胛水平,用掌根置于其胸骨中下1/3处,向上作4~6次快速连续冲击。每次冲击须缓慢,间歇清楚,但应干脆利索。

④手指清除异物法

一般只适用于可见异物,且为昏迷病人。急救者先用拇指及其余四指紧握病人的下颌,并向前下方提牵,使舌离开咽喉后壁,以使异物上移或松动。然后急救者的拇指与示指交叉,前者抵于齿列,后者压在上齿列,两指交叉用力,强使口腔张开。急救者用另一手的示指沿其颊部内侧插入,在咽喉部或舌根处轻轻勾出异物。

另一种方法是用一手的中指及示指伸入病人口腔内,沿颊部插入,在光线充足的条件下,看准异物夹出。

手指清除法不适用于意识清楚者,因手指刺激咽喉可引起病人恶心、呕吐。勾取异物动作宜轻,切勿动作过猛或粗鲁,以免反将异物推入呼吸道深处。

(3)婴幼儿气道梗阻的现场急救

主要包括背部拍击法和胸部冲击法。

①背部拍击　将患儿骑跨并俯卧于急救者的一侧手臂上,以大腿为支撑,患儿头低于躯干,一手固定婴儿下颌角并打开气道,用另一手的掌根部用力拍击患儿两肩胛骨之间的背部5次。使呼吸道内压力骤然升高,有助于松动其异物和排出体外(图2-3-4)。

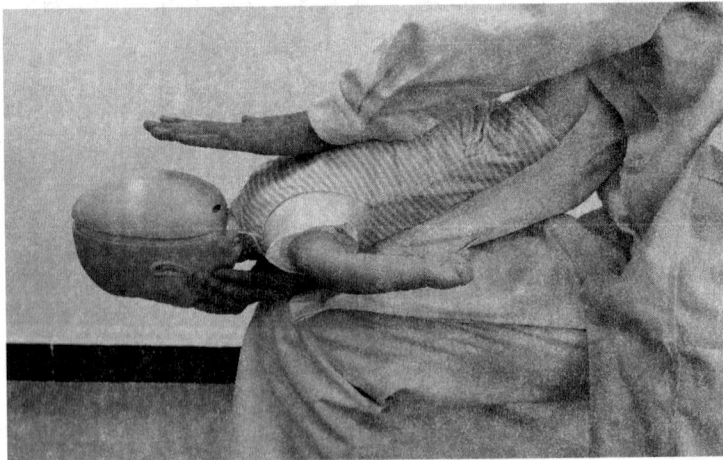

图2-3-4　婴幼儿背部拍击法

②胸部冲击法　患儿4~6次背部拍击不能解除气道梗阻时,将患儿翻转为仰卧位,头略低于躯干,以大腿为支撑,急救者用两手指按压两乳头连线中点,给予胸部冲击按压,重复4

~6次。如仍不能解除梗阻，继续交替背部拍击和胸部冲击，直至异物排出或患儿失去知觉（图2-3-5）。病人如果呼吸、心跳停止，则按心肺复苏流程操作。

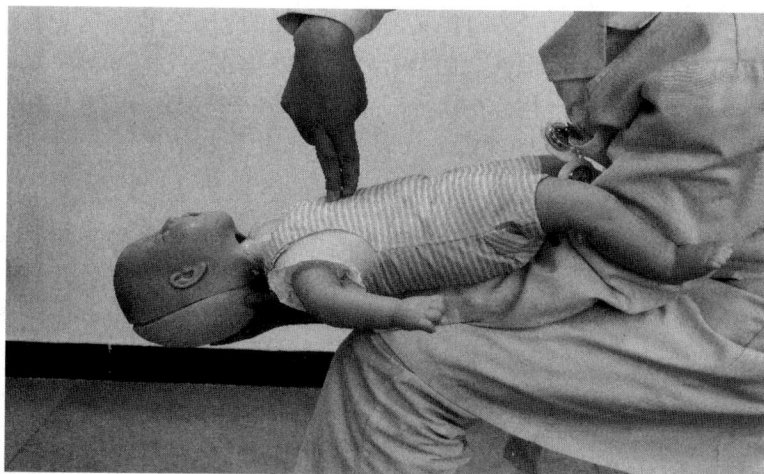

图 2-3-5　婴幼儿胸部冲击法

3. 注意事项

（1）尽快识别气道梗阻是抢救成功的关键。

（2）施行海姆立克法急救操作时应突然用力才有效，用力方向和位置一定要正确，否则有可能造成肝、脾损伤或骨折。

（3）饱餐后的病人实施海姆立克法急救时可能会出现胃内容物反流，应及时清理口腔，防止误吸。

（4）抢救的同时应及时呼叫"120"求助，或请别人给予帮助，配合抢救。

（5）各种手法无效时，应根据现场的条件采用合适的方式先开放气道，现场可采用环甲膜穿刺或采用气管切开后再用小管（如饮料吸管、笔帽等）插入呼吸道紧急解决通气障碍，并尽快送往医院。

（6）应密切关注病人的意识、面色、瞳孔等变化，如病人由意识清楚转为昏迷或面色发绀、颈动脉搏动消失、心跳呼吸停止等，应停止排除异物，而迅速采取徒手心肺复苏术。

第四节　常见意外伤害病人的院前急救

当今世界，随着人类社会的发展，疾病谱正在发生变化，意外事故日益增多。常见意外伤害也叫创伤，伴随着文明的发展而增加，正在成为一个不容忽视的全球性问题。现代创伤中多发伤、危重伤、成批伤病员比例逐年呈上升趋势，被各国公认为"世界第一公害"，城市人口的第五位死因，儿童青壮年的第一位死因。它日益受到各国政府和医疗工作者的重视，从20世纪70年代至今，一门独立的学科——创伤医学正逐渐形成。目前，我国在烧伤、显微外科、火器伤、冲击伤等救治方面已达到国际领先水平。

一、什么是创伤

创伤(trauma)的含义可分为广义和狭义两种。广义的创伤,也称为损伤(injury),是指人体受外界某些物理性(如机械性、高热、电击等)、化学性(如强酸、强碱、农药及毒剂等)或生物性(虫、蛇、犬等动物咬螫)致伤因素作用后所出现的组织结构破坏和(或)功能障碍。狭义的创伤是指机械性致伤因素作用于机体,造成组织结构完整性的破坏和(或)功能障碍。严重创伤是指危及生命或肢体的创伤,常为多部位、多脏器的多发伤,病情危重,伤情变化迅速,死亡率高。

知识点案例: 常见意外伤害病人的院前急救案例一

微课: 创伤概述

创伤概述PPT

目前认为创伤的死亡有 3 个高峰时间段:第 1 死亡高峰为伤后数分钟内,约占死亡人数的 50%,往往死于现场,死亡原因多为心脏破裂、大出血、严重的脑或脑干损伤及脊柱损伤等。第 2 死亡高峰在伤后数分钟到数小时,约占死亡人数的 30%,多数死于急诊科,死因主要为颅内血肿、血气胸、肝脾破裂、骨盆骨折伴大出血等。第 3 死亡高峰在伤后数天至数周,约占死亡人数的 20%,这个阶段基本上在重症监护室,死因主要为严重感染和多器官功能衰竭。第 2 死亡高峰受院前急救和医院急诊科救治的影响较大,这一阶段的救治质量和速度将直接关系到病人的生死存亡,如抢救及时,部分可免于死亡。因此,London 等提出伤后 1 小时是挽救生命、减少致残的"黄金时间"。近年来,又提出"新黄金时间",是指把重度创伤病人从院外转运至急诊科,到出现生理极限之前的一段时间,其终极目标是缩短创伤至手术时间或被送到 ICU 的时间,实现"早期确定性救治"。因此,充分发挥急救医疗服务体系(EMSS)的作用尤为重要。创伤结局除取决于创伤的严重程度外,还与院前复苏效果、院内手术时机与方式的选择和后续治疗是否恰当等密切相关。

二、创伤的分类

为争取急救时间,准确诊断创伤,通常把创伤按 4 个方面分类,即伤因、伤型、伤部、伤情。

微课: 创伤检伤分类

创伤检伤分类PPT

1.按伤因分类

分为冷武器伤、火器伤、烧伤、冻伤、冲击伤、化学伤、放射损伤、动物抓咬伤等。

2.按伤型分类

开放性创伤:通常包括擦伤、切割伤、撕裂伤、刺伤、贯通伤。

闭合性创伤:通常包括挫伤、扭伤、挤压伤、闭合性脱位或骨折、震荡伤、闭合性内脏伤。

3.按伤部分类

可分为头(颈)、面、胸、腹(盆腔)、四肢(骨盆)、体表部伤。

4.按伤情分类

可分为轻度伤、中度伤、较重伤、严重伤、危重伤和特重伤。

➡ 三、创伤的病理生理

创伤可引起机体产生应激反应、代谢改变和免疫功能改变。

1. 创伤后应激反应

指创伤发生后，通过损伤部位的向心性神经信号传导，损伤组织分解产物的刺激激发和恐惧、疼痛、焦虑的反馈等，引起大脑皮质发出信号，支配下丘脑完成神经信息向激素的转换，分泌促分解和释放激素，引发高代谢状态，同时下丘脑有一种总体调控交感神经的能力，可引发或抑制全身交感神经活动变化。

2. 创伤后机体物质代谢变化

可分为两个时期，早期为休克期，或称抑制期，其特征是能量产生减少、氧耗下降、代谢速度减慢、体温降低，一般持续时间很短。继之进入高代谢期，是创伤后的主要代谢改变，包括血糖增高、组织对葡萄糖摄取增多，但完全氧化的比例下降，而通过乳酸的再循环比例增高，其后果是葡萄糖的氧化能力下降；同时由于"胰岛素抵抗现象"，高血糖既不能抑制糖异生，也不能促进糖的氧化利用。

3. 创伤后机体免疫系统改变

主要以细胞介导的免疫功能变化最为明显，在细胞介导的免疫反应中，又以 T 淋巴细胞及其分泌产物的变化最显著。创伤后机体一方面呈现出过度炎症反应；另一方面又出现抗感染的防御功能减低。但对于较轻的损伤，免疫防御功能受抑制的现象并不明显，甚至会有所增强。

➡ 四、现场救护目的

创伤现场环境复杂多样，多为突发事件，现场条件差，给救护带来一定困难。因此，明确现场救护目的，有助于迅速选择救护方法，防止惊慌失措延误抢救。现场救护通常由"第一目击者"或救护人员以及院外急救工作人员完成，是转入医院进一步治疗的基础，其主要目的有以下几个方面。

1. 维持生命

创伤伤病员由于重要脏器损伤(心、脑、肺、肝、脾及脊髓损伤)及大出血导致休克，可出现呼吸、循环功能障碍。故在循环骤停时，要立即实施心肺复苏，维持生命，为医院进一步治疗赢得时间。

2. 减少出血

防止休克严重创伤或大血管损伤出血量大。现场救护要迅速用一切可能的方法止血，有效的止血是现场救护的基本任务。

3. 保护伤口

开放性损伤的伤口要妥善包扎，保护伤口能预防和减少污染，减轻出血，保护深部组织免受进一步损伤。

4. 固定骨折

现场救护要用最简便有效的方法对骨折部位进行固定，以减少骨折端对神经、血管等组织结构的损伤,同时能缓解疼痛。颈椎骨折给予妥善固定,对防止搬运过程中的脊髓损伤具有重要意义。

5.防止并发症及伤势恶化

现场救护过程中要注意防止脊髓损伤、止血带过紧造成肢体缺血坏死、胸外按压用力过猛造成肋骨骨折以及骨折固定不当造成血管、神经、皮肤损伤等并发症。

6.快速转运现场

经必要的止血、包扎、固定后,用最短的时间将伤病员安全转运到就近医院。

五、创伤评分系统

所谓创伤严重程度评分就是应用量化和权重处理的伤病员生理指标或诊断名称等作为参数,经数学计算以显示伤情严重程度及预后的方案。建立创伤评分标准的程序是:从回顾分析大量创伤病例资料中挑选那些与伤病员严重程度和预后有关的项目作为参数,将每个参数分为轻重不等的若干等级,依照每个等级对伤情和预后的影响用数学方法加以量化,给予不同分值,计算伤病员各参数等级所得分值的总和即其创伤评分。近年来,根据各个参数决定伤情的作用不同,应用统计学方法将所有参数加以权重处理,使之更准确。

院前评分是一种在现场或在到达医院确定诊断以前,急救人员用以评定伤病员伤情严重程度的标准。这类评分所依据的参数必须是不费时费事的直观定量指标。急救人员可据此进行分类并指导复苏。目前常用的院前评分方案有创伤指数、创伤记分、修正创伤记分、院前指数等。

1.创伤指数(trauma index,TI)

1971年提出,后经Ogawa修订,根据受伤部位、伤类、循环状态、呼吸状态、意识5个项目记分,计算出总和。9分以下为轻伤,仅需门诊治疗;10~16分为中度伤,要考虑留院观察;17分以上为危重伤,考虑多系统脏器伤;21分以上病死率剧增;29分以上80%一周内死亡。具体评分标准如下(表2-4-1)。

表 2-4-1　创伤指数评分表

创伤指数	1	3	4	6
部位	四肢	躯背	胸或腹	头或颈
损伤方式	切割伤或挫伤	刺伤	钝挫伤	弹道伤
循环	正常	BP<102 mmHg(13.6 kPa)	BP<80 mmHg(10.6 kPa)	无脉搏
		P>100/min	P>140/min	
神志	倦睡	嗜睡	半昏迷	昏迷
呼吸	胸痛	呼吸困难	发绀	呼吸暂停

2.创伤记分(trauma score,TS)

以呼吸频率、呼吸幅度、收缩压、毛细血管再充盈度4个生理参数和GCS昏迷指数5个指标分别记分后相加得TS值。它不仅反映了创伤的严重性及生理损害程度,而且还能预示伤病员的生存可能性(Ps)。Jacobs等统计，TS值14分以上者，生理变化小，预后佳，96%存活；4~13分者，生理变化明显，抢救效果显著；小于3分者，生理变化大，病死率>96%。文献中常以TS<12分作为重伤标准，灵敏度为63%~85%，特异度为75%~99%，准确度为98.7%。具体评分标准如下(表2-4-2)。

表 2-4-2　创伤记分

项目	级别		评分
A、呼吸(次/mim)	10~24		4
	25~35		3
	≥35		2
	10		1
	0		0
B、呼吸状态	正常		1
	浅或困难		0
C、收缩压(kPa)	>12.0		4
	9.33~12.0		3
	6.67~9.33		2
	<6.67		1
	0		0
D、毛细血管充盈	<2s		2
	>2s		1
E、格拉斯哥昏迷指数	睁眼	自动睁眼	4
		呼唤睁眼	3
		刺痛睁眼	2
		不睁眼	1
	语言反应	回答切题	5
		回答不切题	4
		答非所问	3
		只能发音	2
		不能言语	1
	运动反应	按吩咐动作	5
		刺痛能定位	4
		刺痛能躲避	3
		刺痛躯体屈曲	2
		刺痛躯体伸展	1
A+B+C+D+E=创伤计分			

3.修正的创伤记分法(revised trauma score, RTS)

TS应用较多,但人们发现其敏感性较低,常易遗漏严重创伤病人,后有人提出了RTS,取消了TS中难以判断的呼吸幅度和毛细血管充盈度的观察,因为这两项指标不易确认,只用以权重处理的收缩压、呼吸频率和GCS等3项值相加为RTS值,RTS在TRISS(TRS+ISS)预后评估系统中作为一项重要数据被记入内。

Gilpin和Nelson经过大量病例研究,将RTS>11分诊断为轻伤,RTS<11分诊断为重伤,他们建议在急诊科对RTS<12分者应予高度重视并请高年资医生治疗。具体评分标准如下(表2-4-3)。

表 2-4-3

Glasgo 昏迷评分	收缩压(mmHg)	呼吸(次/min)	评分
13~15	>89	10~29	4
9~12	76~89	>29	3
6~8	50~75	6~9	2
4~5	1~49	1~5	1
≤3	0	0	0

4.院前指数(prehospital index, PHI)

采用收缩压、脉率、呼吸状态、神志4项生理指标作为评分参数,每项分为3或4等级,4项参数得分之和即为PHI值,对胸或腹部有穿透伤者再加4分作为其最后PHI值。制订者指出:0~3分者为轻伤,病死率为0,手术率为2%;4~20分者为重伤,病死率为16.4%,手术率为49.1%。具体评分标准如下(表2-4-4)。

表 2-4-4　院前指数评分

参数	级别	分值
收缩压(kPa)	>13.3	0
	11.5~13.3	1
	9.86~11.5	2
	0~9.86	5
脉率(次/min)	≥120	3
	50~119	0
	<50	5
呼吸	正常	0
	费力或浅	3
	<10/min 或插管	5

续表2-4-4

参数	级别	分值
神志	正常	0
	混乱或好斗	3
	无可理解的语言	5

➡ 六、院内创伤评分

院内创伤评分主要目的是以量化标准来判定伤病员损伤的严重程度和估计其预后，它主要分为两大系统：即常用的 AIS-ISS 系统和 APACHE 系统。

1. AIS-ISS 系统

简明创伤定级标准（abbreviated injury scale，AIS）1971 年首次公诸于众，目前 AIS 经过多次修订，由首次提出的 100 余个诊断名称扩展到使用国际疾病分类 9-临床医学（1CD9-CM）的 AIS-90 的 2000 多条。AIS 以解剖损伤为定级标准，将全身划分为头（颈）、面、胸、腹（盆腔）、四肢（骨盆）、体表共 6 个部分，用简单数字编码表示损伤程度，分为 6 个等级（AIS1-6），分别代表轻度伤、中度伤、较重伤、严重伤、危重伤和特重伤，AIS 值越大，则损伤程度越重，危险性越高。AIS 在创伤统计标准化方面作出了重大贡献，但它的等级数不能简单相加或求平均数，也不能评定多发伤的综合作用，由此提出了创伤严重度评分法（injury severity score，ISS）。ISS 是以解剖损伤为基础，取身体 3 个最严重损伤区域的最高 AIS 值的平方和为 ISS 计算值，通常把 ISS<16 分定为轻伤；>16 分定为重伤；>25 分定为严重伤，目前已广泛应用。它更适用于评价多发伤和复合伤的严重程度和存活概率间的关系，是相对客观和容易计算的方法，但 ISS 也有其不完善的地方，例如它不能反映伤病员的生理变化、年龄、伤前健康状况对损伤程度和预后的影响，对身体同一区域的严重多发伤权重不足等。

2. APACHE（acute physiology and chronic health evaluation）系统

该方法早期是为了估计 ITCU（intensive trauma care unit）病人预后和评价抢救质量，由 Knaus 等建立，现已有 3 种不同的版本，即 APACHE Ⅰ、Ⅱ、Ⅲ。APACHE Ⅰ共有 34 项参数作为评分依据，包括反映急性疾病严重程度的急性生理学评分（APS）和患病前的慢性健康状况评分（CPS），由于参数过多，现已不用。改进的 APACHEⅡ（1985 年提出）以 12 项参数为依据，也考虑到年龄、APS 和 CPS 的影响，APACHEⅡ评分分值为 3 项之和，最高值为 71 分，一般病人多为 55 分以下，当 APACHEⅡ>20 分时，院内预测病死率 50%，所以，20 分为重症点，分值增加病人死亡危险增大。1991 年又基于更准确地评定危重症病人的病情和预测而建 APACHEⅢ，所用参数为 17 项，年龄 0~24 分、CPS 值 4~23 分、APS 值 0~252 分，总分为 0~299 分，它用疼痛和语言刺激后能否睁眼以表示系统的损伤程度，而不用格拉斯哥评分（GCS），修订的目的是为进一步完善院内评分系统和提高其可靠性，但因计算繁琐，临床应用也未能普遍使用。

七、止血

止血是针对开放性损伤外出血的急救技术，凡是出血的伤口均需止血。止血的主要方法有直接压迫止血法、加压包扎止血法和止血带止血法等。常用的止血敷料有无菌敷料、绷带、三角巾、创可贴，在现场可用毛巾、丝袜、布料、领带等代替。医护人员在为伤病员止血时要做好自我防护，尽可能戴手套、口罩，必要时戴防护眼镜或防护罩。

微课：创伤患者的现场止血　　创伤患者的现场止血PPT

1. 直接压迫止血法

最直接、快速、有效和安全的止血法，可用于大部分外伤出血的止血。首先要检查伤口内有无异物，如有浅表异物可将其取出，然后将干净的敷料覆盖在伤口上，压迫伤口的敷料应超过伤口周边至少3 cm，用手持续用力压迫止血。如果敷料被血液浸湿，不要更换，再取敷料盖在原有敷料上，继续压迫止血。

2. 加压包扎止血法

首先采用直接压迫止血，然后用绷带或三角巾环绕敷料加压包扎，包扎后检查肢体末端血液循环。

3. 止血带止血法

一般只适用于四肢大动脉出血，或采用加压包扎及其他止血方法后不能有效控制的大出血时才选用，使用不当会造成更严重的出血或肢体缺血坏死。目前止血带有橡胶管止血带、表带式止血带、充气式止血带等，在紧急情况下，也可用绷带、三角巾、布条等代替止血带。

止血带止血具有潜在的不良后果，可导致止血带部位神经和血管的暂时性或永久性损伤，以及肢体局部缺血导致的系统并发症，包括乳酸血症、高钾血症、心律失常、休克、肢体损伤和死亡，这些并发症与止血带的压力和阻断血流的时间有关，因此使用止血带时要特别注意以下几点。

(1)止血带止血的部位应在伤口的近心端，上肢出血在上臂的上 1/3 处，下肢出血在大腿的中上部，对于毁损的肢体也可把止血带结扎在靠近伤口的部位，有利于最大限度地保存肢体。

(2)止血带不可直接结扎在皮肤上，应先用平整的小软垫垫好。

(3)止血带松紧要适度，以伤口停止出血为度，过紧容易造成肢体损伤或缺血坏死，过松会使静脉回流受阻，反而加重出血。

(4)使用止血带后要在明显部位做好标记，注明时间，应精确到分。

(5)止血带使用的时间一般不能超过 5 h。为防止伤肢缺血坏死，每隔 40~60 min 放松止血带一次，每次 1~2 min。放松期间压迫止血，然后在比原来结扎部位稍低的位置重新结扎止血带。

(6)解除止血带应在输液、输血与采取其他有效的止血措施后进行，如止血带以下组织已出现明显的广泛坏死，在截肢前不宜松解止血带。

①橡胶管止血带止血法　操作时在准备结扎的部位加好小软垫，救护员用左手大拇指与示、中指拿好止血带的一端（A 端）约 10 cm 处，右手拉紧止血带缠绕伤侧肢体连同救护员左手示、中指两周，同时压住止血带的 A 端，然后将止血带的另一端（B 端）用左手示、中指夹紧，抽出手指时由示指、中指夹持 B 端从两圈止血带下拉出一半，使其成为一个活结，注明止血带的时间（图 2-4-1）。如果需要松止血带，只要将尾端拉出即可。

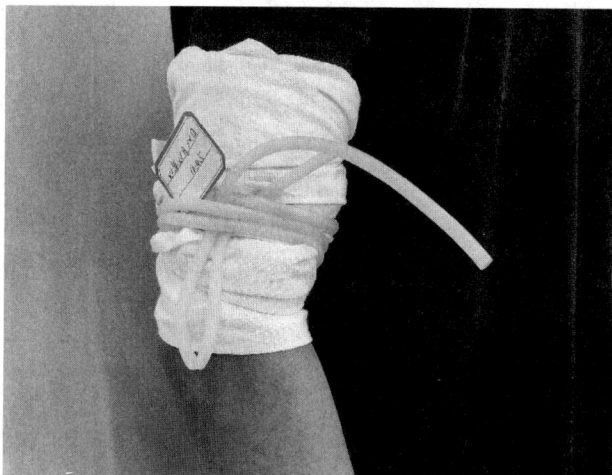

图 2-4-1　止血带止血法

②表带式止血带止血法　止血带缠绕在肢体上，将一端穿进扣环，并拉紧至伤口停止出血为度，注明时间，放松时用手按压开关即可。

③充气止血带止血法　根据血压计原理，用压力表指示压力的大小，压力均匀，止血效果较好。将袖带绑在伤口的近心端，充气后起到止血作用。

④布带止血带止血法　在事故现场，救护员可根据现场情况就地取材，利用三角巾、围巾、领带、衣服、床单等作为布带止血带进行止血，但禁止用细铁丝、电线、绳索等。布带止血带缺乏弹性，止血效果差，如果过紧还容易造成肢体损伤或缺血性坏死，因此，尽可能在短时间内使用。首先将布料折叠成约 5 cm 宽的平整条带状，然后在垫好衬垫的部位先加压缠绕肢体一周，两端向前拉紧，打一个活结，再将一绞棒插入活结的外圈，提起绞棒旋转紧至伤口停止出血为度，将绞棒的另一端插入活结的内圈固定，最后注明时间。

⑤加垫屈肢止血法　适用于四肢非骨折性创伤的动脉出血临时止血。当前臂或小腿出血时，可于肘窝或腘窝内放纱布、棉花、毛巾等作垫，屈曲关节，用绷带将肢体紧紧地缚于屈曲的位置。

⑥指压动脉止血法　是指用手指、手掌或拳头压迫伤口近心端经过骨骼表面的部位，阻断血液流通，达到临时止血的目的。指压法止血属于应急止血措施，因动脉有侧支循环，故效果有限，且难以持久，要根据现场情况改用其他止血方法。

◇ 八、包扎

体表各部位的伤口除采用暴露疗法者，一般均需包扎，以保护伤口、减少污染、固定伤肢，同时也可起到压迫止血、减轻疼痛的作用。正常情况下可用绷带或三角巾(某些特殊部位可用多头绷带或丁字带)、尼龙网套及创可贴。在急救现场，如无绷带或纱布，可用清洁的毛巾、衣服、被单等代替。包扎的要求：快速、牢固、舒适、美观，且包扎的肢体必须维持在功能位。

微课：创伤患者的现场包扎　　创伤患者的现场包扎PPT

包扎法注意事项：①现场包扎伤口时，先简单清理伤口并盖上清洁的毛巾、衣服、被单

或消毒纱布，然后再用绷带等。操作应小心谨慎，不要触及伤口，以免加重疼痛或导致伤口出血及污染。②包扎时松紧应适宜，过紧会影响局部血液循环，过松易致敷料脱落或移动。③包扎时要使病人的位置保持舒适。在皮肤皱褶处如腋下、乳下、腹股沟等，应用棉垫或纱布隔开，骨隆突处还需用棉垫保护。需要抬高肢体时，应给予适当的扶托物。包扎的肢体一定要保持功能位置。④根据包扎的部位，选用宽度适宜的绷带和大小合适的三角巾等。⑤包扎方向为自下而上、由左向右，从远心端向近心端包扎，以助静脉血液回流。绷带应固定在肢体外侧面，忌在伤口、骨隆突处或易于受压的部位打结。⑥包扎四肢应将指（趾）端外露，以便于观察血液循环。

1. 绷带基本包扎法

（1）环形包扎法　此法用于绷带包扎开始与结束时，适合包扎颈、腕、胸、腹等粗细相等部位的小伤口。伤口先用敷料覆盖，绷带环形缠绕肢体4~5层，每圈盖住前一圈，绷带缠绕范围要超出敷料边缘。

微课：包扎的实践操作——绷带包扎法一　微课：包扎的实践操作——绷带包扎法二

（2）蛇形包扎法　适用于需由一处迅速延伸至另一处时，或作简单的固定。夹板固定多用此法。绷带先以环形法开始，然后以绷带宽度为间隔斜形上缠。

（3）螺旋形包扎法　用于包扎直径基本相同的部位，如上臂、手指、躯干、大腿等。绷带以环形法开始，然后逐渐上缠，每圈盖住前圈的1/3~1/2。

（4）螺旋反折包扎法（折转法）　用于直径大小不等的部位，如前臂、小腿等。注意不可在伤口上或骨隆突处反折。每圈缠绕时均将绷带反折，盖住前圈的1/3~1/2，反折部位在同一直线上。如果使用弹力绷带，用螺旋形包扎法包扎直径不等的部位也能达到止血和固定作用（图2-4-2）。

（5）8字形包扎法　在弯曲关节的上下方，将绷带重复呈8字形来回缠绕，每圈盖住前圈的1/3~1/2，如腕关节、肘关节等（图2-4-3）。

图2-4-2　绷带螺旋反折包扎法

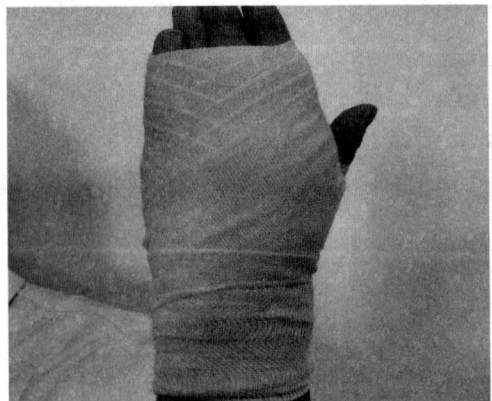

图2-4-3　绷带手掌8字形包扎法

（6）回返包扎法　多用来包扎没有如指端或截肢的残端，头部。先环形缠绕两圈，由助手或手指固定后面的绷带，经肢体顶端或断肢残端向前，然后固定前面绷带，再向后反折，如此反复，每次均覆盖上次的 1/3~1/2，直至完全覆盖伤处顶端，最后环形缠绕两圈，将反折处压住固定。

2.三角巾包扎法

使用三角巾包扎时，注意边要固定，角要拉紧，中心伸展，敷料贴实。在应用时按需要折叠成不同的形状，使用于不同部位的包扎。

（1）头面部包扎

①头顶部包扎　将三角巾底边向上翻折两指宽，盖住头部，从眉上、耳上过，两底角压住顶角在枕后交叉，回前额中央打结，顶角向下拉紧后向上塞入（图2-4-4）。

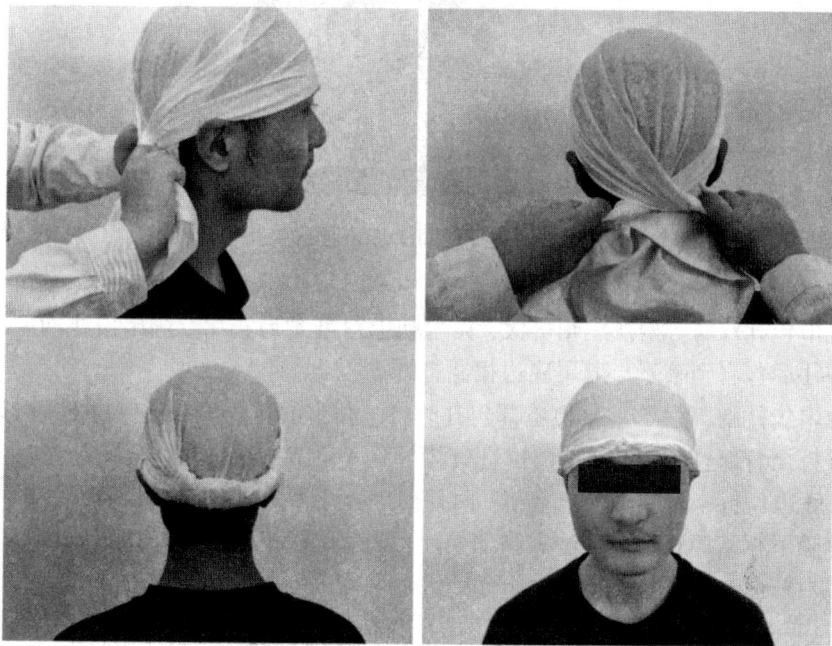

图2-4-4　三角巾头顶部包扎

②风帽式包扎法　将三角巾顶角和底边中央各打一个结成风帽状。顶角放于额前，底边结放在后脑勺下方，包住头部，两角往面部拉紧向外反折包绕下颌。

③下颌部包扎法　将三角巾折成三指宽带形，留出系带一端从颈后包住下颌部，与另一端在颊侧面交叉反折，转回颌下，伸向头顶部在两耳交叉打结固定。

④面部面具式包扎法　用于广泛面部损伤或烧伤。方法是将三角巾的顶部打结后套在下颏部，罩住面部及头部拉到枕后，将底边两端交叉拉紧后到下颏部打结，然后在口、鼻、眼部剪孔、开窗。

（2）肩、胸背部包扎

①燕尾巾包扎单肩　燕尾夹角朝上放在伤侧肩上，向后的一角压住向前的一角并稍大于向前的一角。燕尾底边两角包绕上臂的上1/3处打结，拉紧两燕尾角，分别经胸背于对侧腋下打结（图2-4-5）。

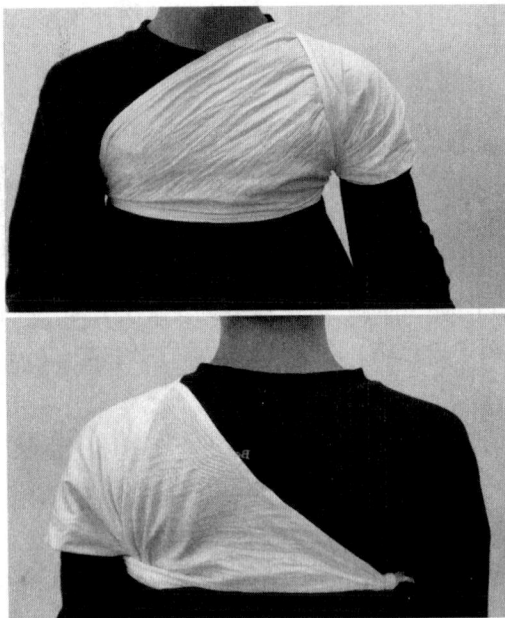

图 2-4-5　三角巾单肩燕尾式包扎

②燕尾巾包扎双肩　两燕尾角等大，夹角朝上对准颈后正中，燕尾披在两肩上，两燕尾角过肩由前往后包肩到腋下与燕尾底边相遇打结。

③三角巾包扎胸（背）部　一侧胸部包扎时将三角巾的顶角放在伤侧肩上，然后把左右底角经两腋下拉至背部打结，再把顶角拉过肩部与双底角结系在一起。全胸包扎时将三角巾折成燕尾状，底边反折一道，横放于胸前，两角向上置于两肩并拉至颈后打结，再将两顶角带子绕至对侧腋下打结。背部包扎法和胸部相同，只是位置相反，结打于胸前。

（3）腹、臀部包扎

①燕尾巾包扎腹（臀）部　燕尾巾底边系带围腰打结，夹角对准大腿外侧中线，前角大于后角并压住后角。前角经会阴向后拉与后角打结。臀部包扎方法与腹部相同，只是位置相反，后角大于前角。

②三角巾包扎腹（臀）部　三角巾顶角朝下，底边横放于脐部并外翻 10 cm 宽，拉紧底角至腰背部打结，顶角经会阴拉至臀上方，同底角余头打结。

（4）四肢包扎

①三角巾包扎上肢　将三角巾一底角打结后套在伤侧手上，结的余头留长些备用，顶角包裹伤肢并简单固定，伤侧前臂曲至胸前，另一底角沿手臂后方拉至对侧肩上，拉紧两底角打结。

②三角巾包扎手、足　将三角巾展开，将病人受伤的手掌（足）平放在三角巾的中央，手指（脚趾）尖对向三角巾的顶角。在病人伤指（趾）缝间放入敷料。将三角巾顶角折起，盖在病人手背（足背）上面，顶角达到腕关节（踝关节）以上。将三角巾两底角折起到病人手背（足背）交叉，再围绕手腕（踝部）一圈后打结。

③三角巾包扎小腿和足部　脚朝向三角巾底边，把脚放近底角底边一侧，提起顶角与较长一侧的底角交叉包裹，在小腿处打结，再将另一底角折到足背处，绕脚腕与底边打结。

（5）尼龙网套及创可贴包扎

都属于新型包扎材料，一般应用于浅表伤口、头部及手指伤口的包扎，现场使用比较方便。

①尼龙网套包扎　尼龙网套有良好的弹性，使用方便。头部及肢体均可用其包扎。先用敷料盖住伤口并固定，再将尼龙网套套在敷料上。

②各种规格的创可贴包扎　创可贴透气性好，具有止血、消炎、止痛、保护伤口等作用，使用起来方便，效果佳。选择大小适合的创可贴，撕开包装，将中央部位对准伤口贴上即可。

九、固定

固定是对骨折或怀疑骨折的伤病员所采取的局部或全身
制动措施，可限制受伤部位的活动，从而减轻疼痛，避免骨折
断端再移位或摩擦而损伤周围重要的血管、神经乃至脏器，同
时固定也利于防治休克，便于伤病员的搬运。所有四肢骨折均应及时进行固定，脊椎损伤和
骨盆骨折在急救中应相对固定。

微课：创伤患者的现场固定　　创伤患者的现场固定PPT

固定最好使用夹板，目前普遍使用的有铝芯塑形夹板、充气式夹板、带有衬垫和固定带
的四肢各部位夹板以及不同型号的小夹板等。在抢救现场还可因地制宜选用树枝、竹板、木
棒等代替。紧急情况下，也可直接借助病人的衣服、健侧肢体或躯干等进行临时固定。

固定注意事项：①如有伤口和出血，应先止血、包扎，然后再固定骨折部位，如有休克，
应先行抗休克处理。②在处理开放性骨折时，不可把刺出的骨端送回伤口，以免造成感染。
③夹板的长度与宽度要与骨折的肢体相适应，其长度必须超过骨折的上、下两个关节。④夹
板不可与皮肤直接接触，其间应垫棉花或其他物品，尤其在夹板两端、骨突出部位和悬空部
位应加厚衬垫，防止受压或固定不妥。⑤固定应松紧适度，以免影响血液循环。肢体骨折固
定时，一定要将指（趾）端露出，以便随时观察末梢血液循环情况，如发现指（趾）端苍白、发
冷、麻木、疼痛、水肿或青紫，说明血运不良，应松开重新固定。

1. 颈椎骨折

急救时可在颈部两侧用枕头或沙袋暂时固定，颈后垫软枕，将头颈部用绷带临时固定。
最好在颈部前、后方分别放一块固定材料或颈托围绕颈部固定。

2. 上臂骨折固定

取两块夹板，分别置于上臂后外侧和前内侧，如只有一块夹板，置于上臂外侧，然后绑
扎固定骨折两端，屈肘功能位悬吊胸前。无夹板时可用三角巾将上臂固定于胸前，并屈肘悬
吊前臂于胸前。

3. 前臂骨折固定

取两块夹板，分别置于前臂内、外侧，如只有一块夹板，置于前臂外侧，绑扎固定骨折的
上、下端和手掌部，屈肘位大悬臂吊于胸前（图2-4-6）。

4. 大腿骨折固定

用长夹板从足跟至腋下，短夹板从足跟至大腿根部，分别置于患腿的外、内侧，空隙、关
节、骨隆突处加衬垫，然后分别在骨折两端、腋下、腰部和关节上下打结固定，足部处于功能
位，8字形固定。无夹板时，可使健肢与伤肢并紧，中间加衬垫，分段固定在一起。

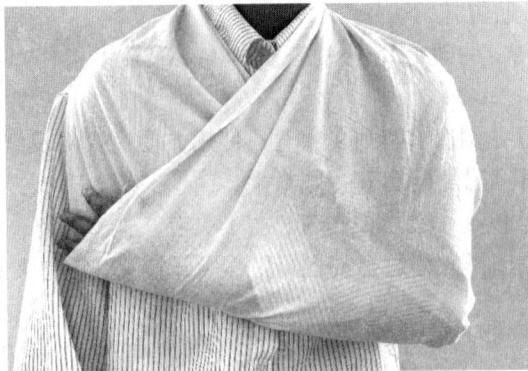

图 2-4-6　三角巾大悬臂带固定

5. 小腿骨折固定

用长度由足跟至大腿中部的两块夹板，分别置于小腿内外侧，空隙、关节、骨隆突处加衬垫，然后分别在骨折两端和关节上下打结固定，足部处于功能位，用 8 字形固定。无夹板时可参照大腿无夹板固定法。

6. 脊椎骨折固定

伤病员俯卧于硬质平面，胸腹部加衬垫，不可移动，必要时用绷带固定。

◈ 十、搬运

微课：创伤患者的搬运　创伤患者的搬运PPT

搬运主要是指将伤病员迅速、安全地脱离灾害事故现场和转移到运输工具上所采取的方法和技术。搬运伤病员的基本原则：及时、迅速、安全地将伤病员搬至安全地带，防止再次受伤。

搬运伤病员注意事项：①移动伤者时，首先应检查伤者的头、颈、胸、腹和四肢是否有损伤，如果有损伤，应先作急救处理，再根据不同的伤势选择不同的搬运方法。②伤情严重、路途遥远者，要做好途中护理，密切观察伤者的神志、呼吸、脉搏以及病情变化。③上止血带的伤者，要注意上止血带和放松止血带的时间。④搬运脊椎骨折的伤者，要保持伤者身体的固定。颈椎骨折的伤者除身体固定外，还要有专人牵引固定头部，避免移动。⑤用担架搬运伤者时，一般头略高于脚，休克的伤者则脚略高于头。行进时伤者的脚在前、头在后，以便观察伤者情况。⑥用汽车、大车运送时，床位要固定，防止车辆起动、刹车时晃动再度使伤者受伤。

1. 担架搬运法

（1）担架的种类　有帆布担架、绳索担架、被服担架、板式担架、铲式担架、四轮担架等。

（2）担架搬运的要领　3~4 人一组将病人移上担架，病人头部向后，足部向前，这样后面抬担架的人可以随时观察病人的变化；抬担架的人步调要一致，平稳前进；向高处抬时（如过台阶、过桥、上桥），前面的人要放低，后面的人要抬高，使病人保持水平状态；下台阶时，则相反。

2.徒手搬运法

（1）单人徒手搬运

①扶行法 用于清醒并能行走的伤病员。搬运者站在伤病员一侧，使伤病员靠近并用手臂揽住自己的颈部，用外侧手牵拉伤病员的手腕，另一手扶持伤病员的腰背部行走。

②抱持法 用于体重轻的伤病员。搬运者将伤病员抱起，一手托其背部，一手托其大腿，能配合者可抱住搬运者颈部。此法较适用于儿童或体重较轻的女性（图2-4-7）。

③背负法 搬运者站在伤病员前面，微弯腰部，将伤病员背起。此法不适用于胸部损伤的伤病员（图2-4-8、图2-4-9）。

 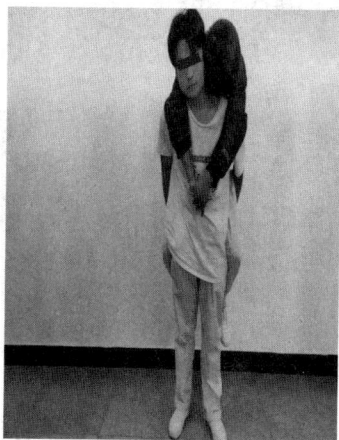 

图2-4-7 单人抱持法　　　　图2-4-8 背负法　　　　图2-4-9 捎法

（2）双人徒手搬运

①拉车式搬运法 一人站在伤病员头侧，两手插于伤病员腋下，将伤病员抱在怀里，另一人立于伤病员两腿之间，将两腿抬起，两人同方向步调一致前行（图2-4-10）。

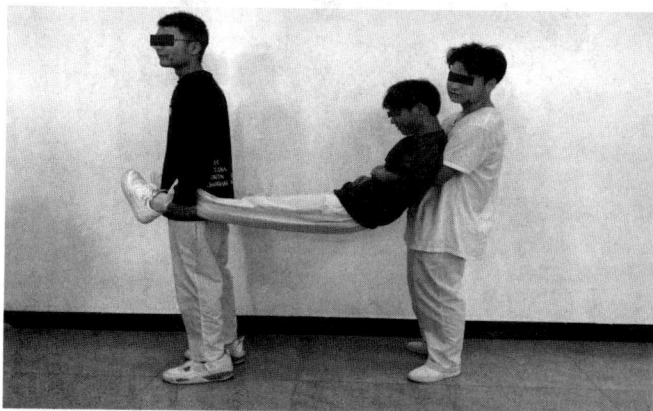

图2-4-10 拉车式搬运法

②椅托式搬运法　两人分别以左、右膝跪地，各自用外侧的手伸至伤病员大腿下并相互紧握，另一手彼此交叉支撑伤病员背部，慢慢将其抬起（图2-4-11）。

图2-4-11　椅托式搬运法

③平抬或平抱搬运法　两人一左一右或一前一后将伤病员平抬。注意此法不适用于脊柱损伤者。

（3）多人徒手搬运　三人可并排将伤病员抱起，齐步前行（图2-4-12）。第四人可固定头部，多于四人时，可面对面平抱搬运。

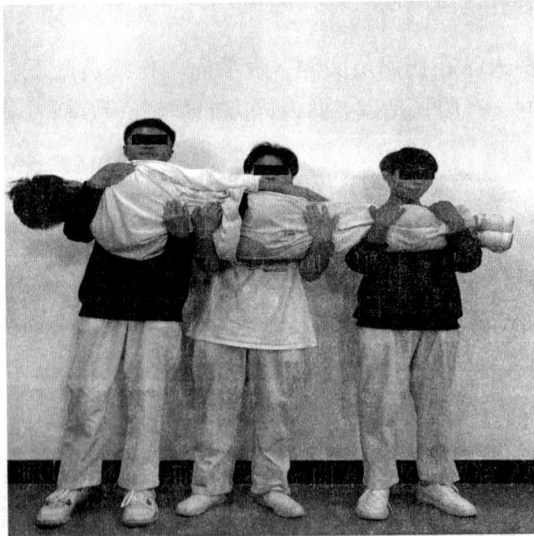

图2-4-12　多人徒手搬运

（4）特殊伤病员的搬运方法

①脊柱损伤　搬运这类伤病员时，应保持脊柱伸直，严防颈部与躯干前屈或扭转。颈椎

损伤者，需 3~4 人搬运，可一人固定头部，保持颈部与躯干成一直线，其余三人蹲于伤病员同一侧，一人托胸背部，一人托臀部，一人托两下肢，四人一起将伤病员放在硬质担架上，并用沙袋固定伤病员头部两侧、胸部、腰部、下肢与担架固定在一起。胸、腰椎损伤者，可三人于伤病员同一侧搬运，方法同颈椎损伤者。

②腹部损伤　伤病员取仰卧位，下肢屈曲，膝下加垫，尽量放松腹肌。若腹部内脏脱出，不应回纳，以免感染，应用清洁的碗或其他合适的替代物扣于其上，包扎固定后再搬运。

③骨盆损伤　先将骨盆做环形包扎后，让伤病员仰卧于硬质担架上，微屈膝，膝下加垫后再搬运。

④身体带有刺入物　应先包扎伤口，妥善固定好刺入物，才可搬运。搬运途中，应避免碰撞、挤压，以防刺入物脱出或继续深入。刺入物外露部分较长时，应有专人负责保护刺入物。

⑤昏迷伤病员　侧卧或仰卧于担架上，头偏向一侧，以利于呼吸道分泌物排出。

十一、动物咬伤病人的院前急救

自然界中的动物，如蛇、狗、猫、毒蜘蛛、蝎、蜂、蜈蚣、蚂蚁等，常利用其牙、爪、刺、角等对人类进行袭击，造成咬伤、蜇(刺)伤，严重者可致残或致死。最常见的是犬咬伤和蛇咬伤。

1. 犬咬伤

随着喜欢饲养宠物的人越来越多，犬咬伤的发生率也相应增加。被病犬咬伤后，其唾液中携有的致病病毒，可引发狂犬病(rabics)。狂犬病又称恐水症，是由狂犬病病毒引起的一种人畜共患的中枢神经系统传染病。

(1)病因和发病机制

狂犬病病毒主要存在于病畜的脑组织及脊髓中，其涎腺和涎液中也含有大量病毒，并随涎液向体外排出。故被病犬咬、抓后，病毒可经唾液—伤口途径进入人体导致感染。狂犬病病毒对神经组织具有强大的亲和力，在伤口入侵处及其周围的组织细胞内可停留 1~2 周，并生长繁殖，若未被迅速灭活，病毒会沿周围传入神经上行到中枢神经系统，引发狂犬病。

(2)病情评估

①有被犬咬伤或抓伤的病史　感染病毒后是否发病与潜伏期的长短、咬伤的部位、入侵病毒的数量、毒力及机体抵抗力有关。潜伏期短者 10 d，多数 1~2 个月。咬伤越深、越接近头面部，其潜伏期越短、发病率越高。

②症状　发病初期时伤口周围麻木、疼痛，逐渐扩散到整个肢体；继之出现发热、烦躁、乏力、恐水、怕风、咽喉痉挛；最后导致肌肉瘫痪、昏迷、循环衰竭甚至死亡。

③体征　有利齿造成的深而窄的伤口，出血，伤口周围组织水肿。

(3)现场救护

①救护者戴双层橡胶手套进行伤口处置。

②局部处理　立即用肥皂水或清水冲洗伤口至少 15 min，伤口较深时需立即彻底清创，用大量生理盐水、3%过氧化氢溶液反复冲洗伤口，伤口不予缝合或包扎，以利引流。

③全身治疗　注射狂犬病疫苗和狂犬病免疫球蛋白，常规使用破伤风抗毒素，必要时使

用抗菌药物防止伤口感染。

（4）院内救护

院内救护以预防和控制痉挛，保持呼吸道通畅；补液和营养支持；伤口护理；执行接触性隔离制度等对症治疗为主。

2.毒蛇咬伤

蛇咬伤（snake bite）以南方为多，多发生于夏、秋两季。蛇分为无毒蛇和毒蛇。无毒蛇咬伤只在局部皮肤留下两排对称的细小齿痕，轻度刺痛，无生命危险。毒蛇咬伤后伤口局部常有一对较深齿痕，蛇毒注入体内，引起严重全身中毒症状，甚至危及生命。该部分内容仅述及毒蛇咬伤。

知识点案例：
常见意外伤害病人的院前急救案例二

（1）病因和发病机制

蛇毒含有多种毒性蛋白质、多肽及酶类。按蛇毒的性质及其对机体的作用可分为3类：神经毒素、血液毒素及混合毒素。神经毒素对中枢神经和神经肌肉节点有选择性毒性作用，引起肌肉麻痹和呼吸麻痹，常见于金环蛇、银环蛇咬伤；血液毒素对血细胞、血管内皮细胞及组织有破坏作用，可引起出血、溶血、休克或心力衰竭等，见于竹叶青、五步蛇咬伤；混合毒素兼有神经、血液毒素特点，如蝮蛇、眼镜蛇的毒素。

（2）病情评估

①怀疑有被蛇咬伤的病史　在现场不管是无毒蛇还是毒蛇，先按毒蛇咬伤处理。

②局部表现　局部伤处疼痛，肿胀，淋巴结肿大，皮肤出现血疱、瘀斑，甚至局部组织坏死。

③全身表现　全身虚弱、口周感觉异常、肌肉震颤或发热恶寒、烦躁不安、头晕目眩、言语不清、恶心呕吐、吞咽困难、肢体瘫软、腱反射消失、呼吸抑制等。部分病人伤后可因广泛的毛细血管渗漏引起肺水肿、低血压、心律失常；皮肤黏膜及伤口出血、血尿、尿少，出现肾功能不全及多器官功能衰竭。

（3）现场救护

①被毒蛇咬伤后不要惊慌，不要大声呼叫或奔跑，避免加速毒素的吸收和扩散。

②放低伤口，避免伤口高于心脏。

③用绷带或其他材料由伤口的近心端向远心端包扎，注意松紧合适，能放入一个手指，以起到降低淋巴回流速度、减慢蛇毒扩散的作用。

④局部伤口可用清水冲洗，但不建议切开、挤压伤口。

⑤若有条件可采一些新鲜草药，如半边莲、七叶一枝花、白花蛇草等局部敷贴。

（4）院内救护

入院后的处理包括伤口的进一步排毒；使用解蛇毒中成药，抗蛇毒血清；大量补液和使用利尿剂等促进毒素排出；严密观察病情，做好对症处理等措施。

十二、环境及理化因素损伤病人的院前急救

知识点案例：
常见意外伤害病人的院前急救案例三

环境及理化因素损伤所涉及的疾病种类多，其中中暑、淹溺和电击伤是三种常见的环境及理化因素损伤，其发病的共同特点是致病因子均为外界环境中的物理因子，既往健康的人遭遇此类损伤也会很快出现危及生命的病理生

理变化，因此这三种损伤均属于环境性急诊(environmental emergency)。

1. 淹溺

淹溺(drowning)是指人淹没于水或其他液体中，由于液体、污泥、杂草等物堵塞呼吸道和肺泡，或反射性喉痉挛引起窒息和缺氧，若抢救不及时可造成呼吸和心搏骤停而死亡。

在我国，溺水是意外伤害致死的主要原因之一。约90%溺水者发生于淡水，多见于儿童、青少年。从水中救出后暂时性窒息，尚有大动脉搏动者称为近乎淹溺(near drowning)，淹溺后窒息合并心脏停搏者称为溺死(drown)。

对从事水上或水中活动者应经常进行游泳、水上自救和互救技能培训；水上运动前不要饮酒；外出洗澡或游泳前应对所去的水域情况有所了解；小孩外出洗澡或游泳时应有家长陪同等。

(1)发病机制

人淹没于水中后，本能地出现反射性屏气和挣扎，避免水进入呼吸道。但由于缺氧，被迫深呼吸，从而使大量水进入呼吸道和肺泡，阻滞气体交换，加重缺氧和二氧化碳潴留，造成严重缺氧、高碳酸血症和代谢性酸中毒。

按照发生机制，溺水可分两类，即干性淹溺和湿性淹溺。

①干性淹溺　指人入水后，因突然受到强烈刺激(惊慌、恐惧、骤然寒冷等)，引起喉痉挛导致窒息，呼吸道和肺泡很少或无水吸入，约占溺水者的10%。

②湿性淹溺　指人入水后，喉部肌肉松弛，吸入大量水分充塞呼吸道和肺泡发生窒息，病人数秒钟后神志丧失，发生呼吸、心搏骤停。湿性溺水约占溺水者的90%。

按照浸没介质的不同，分为淡水淹溺和海水淹溺两种类型(表2-4-5)。

①淡水淹溺　一般江、河、湖、池中的水渗透压低，属于淡水。人体浸没淡水后，水进入呼吸道影响通气和气体交换，水损伤气管、支气管和肺泡壁的上皮细胞，并使肺泡塌陷萎缩，进一步阻滞气体交换，造成全身严重缺氧；低渗性液体很快通过呼吸道、肺泡进入血液循环，血容量剧增可引起肺水肿和心力衰竭，并可稀释血液，引起低钠、低氯和低蛋白血症。低渗液体使红细胞肿胀、破裂，发生溶血，出现高钾血症和血红蛋白血症。过量的血红蛋白堵塞肾小管引起急性肾衰竭，高钾血症可使心脏骤停。

②海水溺水　海水含3.5%氯化钠及大量的钙盐和镁盐，为高渗性液体。因此，吸入海水后，其高渗压使血管内的液体或大量血浆进入肺泡内，引起急性肺水肿、血容量降低、血液浓缩、低蛋白血症、高钠血症，发生低氧血症。此外，海水对肺泡上皮细胞和肺毛细血管内皮细胞的化学损伤作用更易引发肺水肿。高钙血症可导致心律失常，甚至心脏停搏。高镁血症可抑制中枢和周围神经，导致横纹肌无力、扩张血管和降低血压。

表2-4-5　海水淹溺和淡水淹溺的病理特点比较

内容	海水淹溺	淡水淹溺
血容量	减少	增加
血液性状	血液浓缩	血液稀释

续表2-4-5

内容	海水淹溺	淡水淹溺
红细胞损害	很少	大量
血液电解质变化	高血钠、高血钙、高血镁	低钠血症、低氯血症、低蛋白血症、高钾血症
心室颤动	极少发生	常见
主要致死原因	急性肺水肿、急性脑水肿、心力衰竭	急性肺水肿、急性脑水肿、心力衰竭、心室颤动

此外，如不慎跌入粪池、污水池和化学物贮槽时，可附加腐生物和化学物的刺激、中毒作用，引起皮肤和黏膜损伤、肺部感染以及全身中毒。

（2）病情评估

①淹溺史　应向淹溺者的陪同人员详细了解淹溺发生时间、地点和水源性质以及现场施救情况，以指导急救。

②临床表现　淹溺者表现为神志丧失、呼吸停止及大动脉搏动消失、处于临床死亡状态。近乎淹溺病人的临床表现个体差异较大，与溺水持续时间长短、吸入水量、吸入水的性质及器官损害范围有关。

1）症状　淹溺者可有头痛或视觉障碍、剧烈咳嗽、胸痛、呼吸困难。淡水淹溺者多见咳粉红色泡沫痰，海水溺水者口渴感明显，最初数小时可有寒战、发热。

2）体征　皮肤发绀，颜面肿胀，球结膜充血，口鼻充满泡沫或泥污。淹溺者常出现精神状态改变，烦躁不安，抽搐、昏迷和肌张力增高。呼吸表浅、急促或停止。肺部可闻及干湿性啰音，偶尔有喘鸣音。心律失常、心音微弱或消失。腹部膨隆，四肢厥冷，有时可伴头、颈部损伤。

③辅助检查

1）血、尿检查　淹溺者常有白细胞轻度增高，淡水淹溺者可出现血液稀释或红细胞溶解，出现低钠、低氯血症，血钾升高，血和尿中出现游离血红蛋白。海水淹溺者出现血液浓缩，轻度高钠血症或高氯血症，可伴血钙、血镁增高。重者甚至出现DIC的实验室检测指标异常。

2）动脉血气分析　约75%病例有明显混合型酸中毒；几乎所有病人都有不同程度低氧血症。

3）心电图检查　常有窦性心动过速、非特异性ST段和T波改变，病情严重时出现室性心律失常、完全性心脏传导阻滞。

4）X线检查　肺门阴影扩大和加深，肺间质纹理增粗，胸片常显示斑片状浸润，有时出现典型肺水肿征象。约20%病例胸片无异常发现。疑有颈椎损伤时，应进行颈椎X线检查。

5）动脉血气分析　显示低氧血症和酸中毒。

（3）病情判断　有确切的淹溺史和（或）伴有下列症状，如面部肿胀、四肢厥冷、呼吸和心跳微弱或停止；口、鼻内充满污泥；腹部膨隆，胃内充满水呈胃扩张，即可诊断为淹溺。

（4）现场急救

救护原则：迅速将病人救离出水，立即恢复有效通气，实施心肺复苏术，根据病情对症处理。

①迅速将溺水者救出水面（救上岸）　施救者应镇静，尽可能脱去衣裤，尤其要脱去鞋靴，迅速游到淹溺者附近。抢救者应从淹溺者背后接近，一手托着他的头或颈，将面部托出水面，或抓住腋窝仰游，将淹溺者救上岸。救护时应防止被溺水者紧紧抱住。

②保持呼吸道通畅　淹溺者一救出水面，应迅速清除口、鼻腔中的污物、污水、分泌物及其他异物，有义齿者取出义齿，并将舌拉出，对牙关紧闭者，可先捏住两侧颊肌然后再用力将口开启，松解领口和紧裹的内衣和腰带，保持呼吸道通畅，快速判断病人的意识、呼吸和心跳等情况。

③心肺复苏对无反应、无呼吸者立即实施心肺复苏，心肺复苏操作程序按开放气道、人工呼吸和胸外心脏按压三个步骤顺序实施。

④如溺水者有呼吸心跳、意识不清，则采取侧卧位，使口鼻自动排出液体，同时做好保暖，防治低体温。

⑤意识清醒者则做好心理护理，协助采用催吐方法排出胃内水。对自杀溺水的病人应尊重其隐私，注意正确引导，提高其心理承受能力，同时做好其家属的思想工作，协同帮助病人消除自杀念头。

⑥有条件者给予吸氧，根据情况行气管插管并予机械通气，必要时行气管切开。建立静脉通路，纠正水电解质和酸碱失衡，淡水淹溺者，应适当限制入水量，及时应用脱水剂防治脑水肿，适量补充氯化钠溶液、浓缩血浆和白蛋白。海水淹溺者，需及时补充液体，可用葡萄糖溶液、低分子右旋糖酐、血浆，严格控制氯化钠溶液，注意纠正高钾血症及酸中毒。

⑦密切观察生命体征、心律和意识的变化；监测尿液的颜色、量、性状，准确记录出入量；观察有无咳痰，痰液的颜色、性状等。

⑧迅速转运　迅速转送至医院，途中不断救护；搬运病人过程中注意有无头、颈部损伤和其他严重创伤，怀疑有颈部损伤者要予颈托保护。

（5）院内救护

以维持呼吸、循环功能，纠正低血容量、水电解质和酸碱失衡，防止低体温等对症处理为主。

2.电击伤

电击伤（electrical injury），俗称触电，是指一定量的电流通过人体引起的机体损伤和功能障碍。电流对人致死的伤害是引起室颤、心搏骤停和呼吸肌麻痹，其中心搏骤停是电击伤后导致立即死亡的主要原因。因此及时有效的心肺复苏、心脏除颤是抢救成功的关键。雷击也是电击伤的一种，其电压可达几千万伏，强大的电流可使人的心跳、呼吸骤停并造成严重烧伤。

微课：触电救护　　触电救护PPT

（1）病因与发病机制

①病因

1）人体直接接触电源　如电动机未检修、变压器等电器设备未装接地线；不懂安全用电知识，自行安装电器；家用电器漏电而手直接接触开关等。

2）电流或静电电荷经空气或其他介质电击人体　因台风、火灾、地震、房屋坍塌等使高压线断后掉在地上，在高压电和超高压电场中，10 m 内都有触电的危险；在大树下避雷雨，衣服被淋湿后更易被雷击。

②发病机制　人体作为导电体，在接触电流时，即成为电路的一部分。电击通过产热和电化学作用引起人体器官生理功能障碍(如抽搐、心室颤动、呼吸中枢麻痹或呼吸停止等)和组织损伤。触电对人体的危害与接触电压高低、电流强弱、电流类型、频率高低、电流接触时间、接触部位、电流方向和所在环境的气象条件都有密切关系。

1）电流类型　同样电压下，交流电比直流电的危险性高 3 倍。交流电能使肌肉持续抽搐，能"牵引住"接触者，使其脱离不开电流，因而危害性较直流电大。

2）电流强度　一般而言，通过人体的电流越强，对人体造成的损害越重，危险也越大。

3）电压高低　电压越高，流经人体的电流量越大，机体受到的损害也越严重。

4）电阻大小　在一定的电压下，皮肤电阻越低，通过的电流越大，造成的损伤越大。

5）电流接触时间　电流对人体的损害程度与接触电源时间成正比。

6）通电途径　流通过人体的途径不同，对人体造成的伤害也不同。

（2）病情评估

①触电史　具有直接或间接接触带电物体的病史。

②临床表现　轻者仅有瞬间感觉异常，重者可致死亡。

1）全身表现　轻型表现为精神紧张、表情呆滞、面色苍白、四肢软弱、呼吸及心跳加速。敏感的病人可发生晕厥、短暂意识丧失。重型表现为神志清醒病人有恐惧、心悸和呼吸频率加快；昏迷病人则出现肌肉抽搐、血压下降、呼吸由浅快转为不规则以致停止，心律失常，很快导致心搏骤停。

2）局部表现　主要表现为电流通过的部位出现电灼伤。低压电引起的灼伤，伤口小，呈椭圆形或圆形，焦黄或灰白色，干燥，边缘整齐，与正常皮肤分界清楚，一般不损伤内脏。如有衣服点燃，可出现与触电部位无关的大面积烧伤。高压电引起电烧伤，烧伤面积不大，但可深达肌肉、血管、神经和骨骼，有"口小底大、外浅内深"的特征；肌肉组织常呈夹心性坏死；电流可造成血管壁变性、坏死或血管栓塞，从而引起继发性出血或组织的继发性坏死。

3）并发症　可有短期精神异常、心律失常、肢体瘫痪、继发性出血或血供障碍、局部组织坏死继发感染、急性肾衰竭、内脏破裂或穿孔、永久性失明或耳聋等。孕妇电击后常发生死胎、流产。

③辅助检查　早期可出现肌酸磷酸激酶(CPK)、乳酸脱氢酶(LDH)、丙氨酸转氨酶(ACT)的活性增高。尿液检查可见血红蛋白尿或肌红蛋白尿。

（3）现场急救

救治原则：迅速脱离电源，分秒必争地实施有效心肺复苏及心电监护。

①迅速脱离电源　根据触电现场情况，采用最安全、最迅速的办法脱离电源。

1）切断电源　拉开电源闸刀或拔除电源插头。

2）挑开电线　应用绝缘物或干燥的木棒、竹竿、扁担等将电线挑开。

3）拉开触电者　施救者可穿胶鞋，站在木凳上，用干燥的绳子、围巾或干衣服等拧成条状套在触电者身上拉开触电者。

4）切断电线　如在野外或远离电源闸以及存在电磁场效应的触电现场，施救者不能接近触电者，不便将电线挑开时，可用干燥绝缘的木柄刀、斧或锄头等物将电线斩断，中断电流，并妥善处理残端。

②防止感染　烧伤局部应进行创面的简易包扎，防止感染。

③轻型触电者　就地观察及休息1~2 h，以减轻心脏负荷，促进恢复。

④重型触电者　对心脏骤停或呼吸停止者，应立即实施心肺复苏术，如有条件建立人工气道辅助呼吸，建立静脉通道给予补液，使用药物等。

⑤合并伤的处理　因触电后弹离电源或自高空跌下，常伴有颅脑伤、血气胸、内脏破裂、四肢与骨盆骨折等合并伤，在现场迅速评估并做好相应急救措施。搬运过程中注意保护颈部、脊柱和骨折处。

⑥严密观察病情变化　监测生命体征、心律失常、心肌损伤和肾功能情况。

（4）院内救护

以维持循环、呼吸功能，纠正心律失常，创面处置和对症处理为主。

3.中暑

中暑（heatillness）是指在暑热天气、湿度大和无风的高温环境下，由于体温调节中枢功能障碍、汗腺功能衰竭和水电解质平衡失调而引起的以中枢神经和（或）心血管功能障碍为主要表现的急性临床综合征，又称急性热致疾患（acute heat illness，heat emergency，heat injury）。根据临床症状轻重可分为先兆中暑、轻度中暑和重度中暑。重度中暑根据发病机制和临床表现分为热痉挛（heat cramp）、热衰竭（heat exhaustion）和热射病（heat stroke）3种类型。其中以热射病为最严重。

微课：中暑救护　　中暑救护PPT

（1）病因与发病机制

①病因　中暑的病因可概括为机体产热增加、散热减少和热适应能力下降等因素。

1）产热增加　在高温或高辐射环境下从事长时间体力劳动或运动强度大，机体产热增加，容易发生热蓄积，如果没有足够的防暑降温措施，就容易发生中暑。

2）散热减少　在高温、高湿、高辐射和通风不良的环境中，穿紧身或不透气的衣裤从事重体力劳动，均使机体散热减少，易造成热量蓄积发生中暑。

3）热适应能力下降　热负荷增加时，机体会产生应激反应，通过神经内分泌的各种反射调节来适应环境变化，维持正常的生命活动，当机体这种调节能力下降时，对热的适应能力下降，容易发生代谢紊乱导致中暑。现代社会由于空调的普遍使用，人们的热适应能力明显下降。

②发病机制　正常人体在下丘脑体温调节中枢的控制下，体内产热与散热处于动态平衡，体温维持在37℃左右。高温环境可使机体大量出汗，当机体以失盐为主或只注意补水造成低钠、低氯血症，细胞外液渗透压降低，水进入细胞内，导致肌细胞水肿，引起肌肉疼痛或痉挛，发生热痉挛。大量液体丧失会导致失水、血液浓缩、血容量不足，若同时发生血管舒缩功能障碍，易发生因外周循环衰竭而导致的低血容量性休克。如果得不到及时治疗，可致脑部供血不足和心血管功能不全，发生热衰竭。当外界环境温度增高，机体散热绝对或相对不足，汗腺疲劳，引起体温调节中枢功能障碍，致体温急剧增高，可高达40~42℃。持续高热会造成中枢神经系统不可逆的损伤，重要脏器也不能幸免，导致心脏排血量急剧下降，从而发生循环衰竭，继而发生热射病。

（2）病情评估

①中暑史 重点询问病人有无引起机体产热增加、散热减少或热适应不良的原因存在，如有无在高温环境中长时间工作、未补充水分或含盐饮料等病因存在。

②临床表现

1）先兆中暑 在高温环境下工作一段时间后，出现大汗、口渴、头晕、头痛、注意力不集中、耳鸣、眼花、胸闷、心悸、恶心、四肢无力、体温正常或略升高。如及时脱离高温环境，转移到阴凉通风处休息，补充水、盐，短时间即可恢复。

2）轻度中暑 除上述先兆中暑症状加重外，体温升至38℃以上，出现面色潮红，大量出汗，皮肤灼热等表现；或出现面色苍白、四肢湿冷、血压下降、脉搏增快等早期周围循环衰竭的表现。如进行及时有效处理，常常在数小时内恢复。

3）重度中暑 除上述轻度中暑症状加重外，还伴有高热、痉挛、晕厥和昏迷。包括热痉挛、热衰竭和热射病三型。

热痉挛：多见于健康青壮年人。在高温环境下进行剧烈劳动，大量出汗后出现肌肉痉挛性、对称性和阵发性疼痛，持续约3 min后缓解，常在活动停止后发生。肌痉挛多发生在四肢肌肉、咀嚼肌和腹直肌，最常见于腓肠肌，也可因腹直肌、肠道平滑肌痉挛引起急性腹痛。体温无明显升高。症状的出现可能与钠缺失和过度通气有关。热痉挛也可为热射病早期表现。

热衰竭：此型最常见，多见于老年人、儿童和慢性疾病病人。在严重热应激时，由于体液和钠丢失过多、补充不足导致周围循环衰竭。表现为多汗、疲乏、无力、眩晕、恶心、呕吐、头痛等。有明显脱水征，如心动过速、直立性低血压或晕厥。出现呼吸加快、肌痉挛。体温基本正常或轻度升高，无明显中枢神经系统损害表现。热衰竭可以是热痉挛和热射病的中间过程，如不治疗可发展为热射病。

热射病：是一种致命性急症，以高热（直肠温度≥41℃）、无汗、意识障碍"三联征"为典型表现。早期受影响的器官依次为脑、肝、肾和心脏。临床上根据发病时病人所处状态和发病机制分为劳力型热射病和非劳力型热射病。热射病是中暑最严重的类型，其病死率与温度的上升相关，老年人和有基础疾病的病人病死率高于普通人群。

（3）辅助检查 血常规外周血白细胞总数增高，以中性粒细胞增高为主。尿常规可有不同程度的蛋白尿、血尿、管型尿改变。严重病例常出现肝、肾、胰和横纹肌损害的实验室改变。尿液分析有助于发现横纹肌溶解和急性肾衰竭。血清电解质可有高钾、低钠、低氯血症。血尿素氮、血肌酐升高提示肾功能损害。有凝血功能异常时，应考虑DIC。

（4）病情判断 根据病史和临床表现可判断病人是否发生中暑。但重度中暑应与脑膜炎、脑血管意外、脓毒血症、甲状腺危象、伤寒及中毒性痢疾等疾病相鉴别。

（5）现场救护

救治原则：尽快使病人脱离高温环境、迅速降温和保护重要脏器功能。

①脱离高温环境 迅速将病人转移到通风良好的阴凉处或20~25℃房间内，帮助病人松解或脱去外衣，平卧休息。

②迅速降温 具体方法包括

1）环境降温 将病人安置在20~25℃空调房间内，以增加辐射散热，条件不具备时可用扇子、电风扇等帮助降温。

2)体表降温　用冰袋和冰帽进行头部降温，轻症病人可反复用冷水擦拭全身，必要时可选用15℃冷水浴或凉水淋浴，直至体温低于38℃，严重者可用冰水擦拭、冰水浴等方法。老年人、新生儿、昏迷、休克、心力衰竭、体弱或伴心血管基础疾病者，不能耐受4℃的冰水浴，应禁用。

3)体内中心降温　适用于重度中暑、体外降温无效者。用冰盐水200 mL注入胃内或灌肠；或用4℃ 5%葡萄糖盐水1000~2000 mL静脉滴注，开始的滴注速度应稍慢，30~40滴/min，病人适应低温后再增快速度，但应密切观察，以免发生急性肺水肿。有条件者可用低温透析液(10℃)进行血液透析。

③纠正水、电解质及酸碱平衡紊乱　轻症病人可口服含盐清凉饮料或淡盐水，四肢肌肉抽搐者或有痉挛性疼痛者，在补钠的基础上可缓慢静脉注射10%葡萄糖酸钙10~20 mL。发生早期循环衰竭的病人，可酌情输入5%葡萄糖盐水1500~2000 mL，但速度不宜过快，并加强观察，以防发生心力衰竭。

④转运　一般先兆中暑和轻度中暑的病人经现场救护后均可恢复正常，但对疑为重度中暑者，应立即转送至医院。

（6）院内救护

以有效降温(直肠温度降至38℃左右)、纠正体液失衡、及时发现和防止器官功能衰竭和对症处理为主。

第五节　灾难救护

进入21世纪以来，随着各种类型灾难的频繁发生，造成大量的人员伤亡和财产损失。资料显示，全世界每年约有350万人死于灾难，约占人类死亡总数的6%，是除自然死亡以外人类生命与健康的第一杀手。近10年来，我国已成为世界上第三个灾难损失最为严重的国家。灾难医学作为医学学科起源于20世纪下半叶，作为灾难医学救援队伍中的主力军，护士掌握灾难医学救援的知识和技术是灾难救援成功的重要保障之一。

一、什么是灾难、灾难医学、灾难护理

知识点案例：灾难救护

灾难(disaster)是指任何能引起设施破坏、经济严重损失、人员伤亡、人的健康及社会卫生服务条件恶化的事件，当其破坏力超过发生地区所能承受的限度，不得不向该地区以外的地区求援时，称之为灾难。灾难按发生的原因分为自然灾害和人为灾难；按发生的顺序分为原生灾难、次生灾难和衍生灾难；按发生方式分为突发灾难和渐变灾难。

灾难医学(disaster medicine)是一门研究在各种灾难情况下实施紧急医学救治、疾病预防和卫生保障的学科，涉及急救医学、创伤外科学、危重病医学、卫生学、流行病学、社会学、心理学、地震学、军事学、气象学等多门学科，是一门独立的多学科相互交叉渗透的新兴边缘学科。

灾难护理(disaster nursing)是指系统、灵活地应用有关灾害护理独特的知识和技能,同时与其他领域开展合作,为减轻灾难对人类的生命、健康所构成的危害所开展的活动。

二、灾难救护系统

1.灾难事件指挥系统

能提供共同的组织结构和交流模式,使不同组织共同应对大规模的灾难。灾难事件指挥系统(incident command system, ICS)的目的,在于简化不同灾难应对组织之间的沟通程序,明确职责,实现统一指挥。

救护人员必须服从灾难事件指挥系统的统一指挥,紧急医疗服务是现场有紧急医疗需求时灾难事件指挥系统的最核心部分,要求参与的救护人员十分广泛,包括各级卫生行政部门成立的医疗卫生救援指挥组织、专家组和医疗卫生救援机构。

2.灾难医学救援中护士的角色

灾难的突发性、地域性等特点决定了灾难救援的多样性、复杂性和救援工作环境的艰险性,作为灾难救护的重要力量,对护士有着更高的要求。

(1)具备丰富的专业知识和技能　了解灾难致伤的基本规律,掌握灾难救护的基本知识和基本技能。

(2)具备良好的心理素质　在面对大量的伤亡人员以及随时可能发生的危机事件,要求护士有良好的自我心理调适能力。

(3)具备优秀的综合素质　灾难救援环境恶劣,工作强度大,还得与其他学科人员合作救援,要求护士有强健的体魄、充沛的精力、较强的沟通协作能力及观察能力。

(4)具备独立处理问题的能力　在灾难救援过程中,各种状况突发多变,医疗条件有限,要求护士应具备较强的应急处置能力,包括熟练掌握现场急救技术、检伤分类技术、转运过程中的救护技术以及各种心理干预技术。

3.灾难救援中护理的内容要点

(1)现场伤病员的救护　护理人员在灾难现场迅速为伤病员提供现场救护,配合医生做好救护工作。

(2)伤病员转送途中的监护　在伤病员转送途中,护理人员承担转运途中伤病员的生命体征监测和病情观察,做好基础护理工作。

(3)伤病员心理护理　严重的灾难会给伤病员及家属带来很大的心理创伤,护理人员对灾难伤病员出现的心理问题,协助进行心理疏导。

(4)协助灾区医院重建护理秩序　灾难会给灾区的医院带来很大损坏,救援护理人员应协助灾区医院重建护理秩序,共同开展救护工作。

(5)协助灾难现场与医疗救治点的消毒工作　大灾难过后容易导致疫情的暴发流行,护理人员应协助各医疗救治点做好消毒工作,协助控制传染病暴发。

(6)对灾区伤病员和民众进行健康宣教　对灾区群众应进行疾病知识的宣教,让他们养成良好的卫生习惯,在特定时期应避免进食不洁饮食、不饮生水,严防"病从口入"。

→ 三、灾难现场的医学救援

灾难现场混乱、惊恐、无序，伤病员众多，伤情复杂严重，医疗条件差，交通堵塞不便，生活条件艰苦，缺电少水，食物缺乏等，环境仍可能有火、毒、震、滑坡、疫情、爆炸等危险因素存在。

1. 灾难现场救护的原则

灾难现场救护总体上须遵循快抢、快救、快送的"三快"原则。即先抢后救，抢中有救；根据伤情先救命后治伤，先重后轻；自救互救相结合，协助医生将伤病员迅速脱离现场，到达安全场地。灾难救护的原则具体如下。

（1）保持镇静　遇到意外灾难发生时，要保持镇静，不要惊慌失措，越慌张越易出错。同时，还要设法维持好现场秩序。

（2）求助原则　如发生意外而现场无人时，应向周围大声呼救，请求来人帮忙或设法联系有关部门请求援助，切记不要单独留下伤病员无人照管。

（3）抢救伤病员　根据伤情对伤病员进行分类抢救，总的处理原则是：先重后轻，先急后缓，先近后远。现场要求医护人员以救为主，其他人员以抢为主，各负其责，相互配合，提高抢救效率。

（4）原地抢救　对呼吸困难、窒息和心跳停止的伤病员，要快速将其头部置于后仰位并托起下颌，使其呼吸道通畅，同时实施人工呼吸、胸外心脏按压等心肺复苏操作，原地抢救。

（5）快速转运　对伤情稳定，估计转运途中不会加重伤情的伤病员，应迅速将其转运到相关的医疗单位进行抢救，途中应不断观察伤病员的病情变化。

（6）服从指挥　现场抢救的一切行动必须服从有关领导的统一指挥，以便对伤病员实施快捷、有序、有效的现场救治并合理分流伤病员。

2. 灾难现场检伤分类

检伤分类是灾难救护的重要环节。当救护人员面对现场大批伤病员时，根据病人伤情的严重程度进行分类，确定优先治疗程序的过程。可以用来决定优先治疗的顺序，也可以用来决定转送方式的顺序，还可以用来决定转送医院的顺序，分别称之为收容分类、救治分类、后送分类。

（1）检伤分类的原则　服从救治需要的原则；迅速而准确的原则；生命第一的原则；重复检伤动态评估的原则。

（2）检伤分类的种类　分为收容分类、救治分类和后送分类3种。

①收容分类　接收伤病员的第一步，通过简单的询问和检查，对伤病员进行大体区分。

②救治分类　是决定救治实施顺序的分类。将轻、中、重度伤病员分开，以确定救治的优先顺序。

③后送分类　分类动作的第三步，主要是根据伤病员的诊断、预后和进一步救治的需要，确定伤病员后送的顺序、地点、转运工具等。

（2）检伤分类的方法　检伤分类方法要求简单快捷，一般的方法是简单询问受伤史和主要症状，进行快速体格检查，注意气道、呼吸、循环、意识状态等。常用的检伤分类方法有ABCDE 五步检伤法或简明检伤分类与快速急救系统（simple triage and rapid treatment，

START)通过评估伤病员的行走能力、呼吸、循环和意识四个方面进行检伤分类,具体方法见"本章 第一节 院前急救原则与流程"内容。

3. 灾难伤病员的转送

灾难短时间内造成大批量伤亡人员,使灾区医疗资源的供给与需求失去平衡。对伤病员分检和初步救治后,及时转送至医疗机构进一步治疗,使转送伤病员得到充足的医疗保障,降低危重病人的死亡率和致残率。

(1)转送指征　具有下列情况之一者可转送:①转送途中没有生命危险。②手术后伤情已稳定。③应当实施的医疗处置已全部完成。④伤情的变化已处置。⑤骨折已固定。⑥体温在38.5℃以下。

(2)暂缓转送指征　①休克症状未纠正,血流动力学不稳定者。②颅脑损伤怀疑有颅内高压、可能发生脑疝者。③颈髓损伤伴有呼吸功能障碍者。④胸、腹部损伤病情不稳定者。⑤骨折固定不确定或未经妥善处理者。⑥被转送人员或家属依从性差。

(3)转送注意事项

①转送前的组织准备　大批量伤病员转送前要做好精心组织准备,包括转送伤病员统一编号、明确转送时间、转送模式、目的地和交接方式等准备工作。

②伤病员转送前要做好一般处理和特殊处理　估计伤病员转送过程中可能出现的并发症,做好应对措施,维持伤病员的呼吸和循环功能。针对重伤病员进行有针对性处理可以降低转运风险。如颅内压增高的伤病员及时使用脱水剂、对严重血气胸伤病员做好胸腔闭式引流等。

③向病人及家属交代病情　告知转送的必要性和途中可能的风险,征得同意并签字后实施转送。

(4)转送途中的护理要点

具体内容请见"本章 第一节 院前急救原则与流程"内容。

四、地震救护

地震灾害在发生时间上具有突然性,在发生地域上具有不可预见性或广阔性。可造成人员伤亡、财产损失、环境和社会功能的破坏,对社会造成很大的影响。

微课:地震救护(一)　微课:地震救护(二)　地震救护PPT

1. 危害特点

(1)发生突然,防御难度大　由于地震灾害突然发生,人们毫无思想准备和防护措施,造成的人员伤亡非常惨重。

(2)破坏力强,伤亡惨重　地震的发生突然再加上建筑物抗震性能差,一次地震持续时间往往只有几十秒,却足以摧毁整座城市。地震可造成建筑物破坏以及山崩、滑坡、泥石流、地裂、地陷等地表的破坏和海啸等。

(3)次生灾害多且复杂　地震次生灾害是指强烈地震发生后,自然以及社会原有的状态被破坏,造成的山体滑坡、泥石流、海啸、水灾、瘟疫、火灾、爆炸、毒气泄漏、放射性物质扩散对生命产生威胁等一系列的因地震引起的灾害,统称为地震次生灾害。

(4)地域性分布和周期性　地震的发生呈现一定的地域性分布和周期性。

(5)地震预报困难　目前人们对地震灾害还停留在监测阶段,还不能准确有效地预报地

震的发生。

2. 急救原则

地震引发的伤情多为机械性损伤,如骨折、软组织损伤最为常见,其次还有坠落伤、挤压伤等。在急救过程中要考虑救治的环境、伤病员病情的复杂性,在组织抢险救灾的过程中,应遵循以下原则:

(1)启动灾难事件指挥系统,确立救护指挥官　一般由医疗救援队队长担任,主要担负承上启下的任务,向上级汇报现场情况,向下部署,并根据现场情况,随时请求支援。

(2)组建医疗救援分队　地震过后会出现大批量的伤病员,需要大量的医护人员组成若干医疗救援队奔赴现场。如 2008 年汶川地震共造成 69227 人死亡、374643 人受伤、17923 人失踪。震后第二天,就有数十支医疗小分队奔赴灾区。到 5 月 21 日 20 时,医疗救治队伍已覆盖灾区每个受灾村庄,奋战在灾区一线的医务人员总数超过 14 万。

(3)现场救护原则　首先迅速使伤病员脱离险境,先近后远,先易后难,先挖后救,先救命后治伤,先救活人后处置遗体。由经验丰富的医护人员快速进行检伤分类;保持呼吸道通畅;对骨折的伤病员就地取材进行固定;对出血的部位进行止血包扎;对脱水的伤病员尽早建立静脉通道,进行液体补入;对挤压伤的伤病员观察病人的血压、尿量和受压局部情况。

(4)伤病员尽早分流和转送　由于地震造成大批量的伤病员,灾区的医疗设施破坏严重,为使伤病员得到最好的治疗。在完成初步的救治和维持生命必需的处理后,伤病员应尽早转送到医院进行确定性救治。严重的伤病员在病情得到一定缓解后,应立即转送到三级医院进行治疗。根据伤病员的情况选择转送的方式,医护人员做好转送途中的监护。在汶川地震中,截止到 5 月 31 日,四川地震灾区累计向全国 201 个省区市的 340 多家医院转送地震伤病员 10015 人,为此国家出动了 21 次专列、99 架包机以及万余次救护车和 5000 余名医务人员。

3. 应急救护

(1)震后自救

①要树立生存信念,先注意保护好自己。

②判断所处位置,改善周围环境,扩大生存空间,寻找和开辟脱险通道。

③保证呼吸道通畅。

④不要大喊大叫,尽量保存体力。听到动静时,用物体敲击发出求救信息。

⑤尽量寻找和节约食物、饮用水,设法延长生命,等待救援。

⑥如有外伤出血,用衣服进行包扎,如有骨折,就地取材进行固定。

(2)震后互救

①对埋在瓦砾中的幸存者,要先建立通风孔道,以防窒息。

②挖出后应立即清除口鼻异物。蒙上双眼,避免强光刺激。

③在救出伤病员时,应保持脊柱呈中立位,以免伤及脊髓。

④救出伤病员后,立即判断意识、呼吸、循环、体征等。

⑤根据伤病员的情况给予对应的处理。

⑥要避免伤病员情绪过于激动,给予必要的心理援助。

⑦正确处理挤压综合征的伤病员　挤压综合征是指人体四肢肌肉丰富的部位,遭受重物长时间挤压,在挤压解除后出现的以肢体肿胀、肌红蛋白尿、高血钾为特点的急性肾衰竭、休克、甚至心脏停搏等表现,在救护过程中要注意以下几点:

1）力争尽早解除伤病员身上的重物压迫，减少挤压综合征的发生。

2）伤病员的伤肢可稍加固定限制活动，以减少组织分解、毒素吸收及减轻疼痛。

3）伤肢用凉水降温或暴露在凉爽的空气中，禁止按摩与热敷。

4）伤肢不要抬高，若有开放性伤口和活动性出血应止血包扎。

五、水灾救护

水灾（floods）是指一个流域内因集中大暴雨或长时间降雨，导致该流域的水量迅猛增加，水位急剧上涨，超过其泄洪能力而造成堤坝漫溢或溃决，出现洪水泛滥的自然灾害。

1. 危害特点

（1）受灾面积大、持续时间长　如1998年夏长江特大洪水，持续了77 d，长江上游一共出现8次洪峰，涉及省市、受灾农田2229万公顷。

（2）淹溺　洪水引起淹溺是死亡的主要原因。伤病员可能因为溺水、呛入泥沙等引起肺水肿、心力衰竭，也可能因为长期浸泡在水中导致低温引发凝血功能障碍甚至呼吸、心跳停止。

（3）机械性创伤　各种机械性创伤在水灾中很常见。如建筑物坍塌或山石、树木冲撞都可造成挤压伤、骨折等多发性创伤。

（4）传染性疾病增多　洪水灾后人畜尸体腐烂、水源污染严重，蚊蝇滋生，可导致各种传染性疾病暴发流行，且疫情比较复杂。

（5）电击伤、爆炸及烧伤增多　洪水造成天然气运输管道、电源线、化工厂原料罐等破坏，很容易发生触电、爆炸和烧伤等。

（6）虫蛇咬伤　洪水上涨时，家畜、老鼠、蛇等爬行动物开始迁徙，而灾民为躲避洪水可能居住野外，从而虫蛇咬伤增多。

2. 急救原则

我国是水灾较多的国家之一，医学救援在灾害救援中对减少伤亡、减轻伤残具有举足轻重的作用，在水灾救护中应遵循以下原则：

（1）启动灾难事件指挥系统，确定救援方案　水灾的医疗救援有一定难度，要求医疗分队明确现场情况、评估危险程度的基础上做好救援方案，准备好充足的医疗药品，以及各种物质，并保证通讯网络通畅，协调和调动社会各方力量共同参与。

（2）做好现场检伤分类　由经验丰富的医护人员在较宽敞的场所进行伤情评估，快速将需要紧急救治的伤病员进行识别、现场进行生命支持的干预并组织转送。

（3）掌握重点，提高救治整体效能　针对水灾中出现的各种伤病员，实施有效的救治。譬如淹溺者，从水中救出后，迅速清理呼吸道，保持呼吸道通畅，有呼吸心跳停止的就立刻实施心肺复苏；遇到电击伤的伤病员，应迅速关闭电源，将伤病员平卧，保持呼吸道通畅，若心跳停止者立刻实施心肺复苏；遇到毒蛇咬伤的伤病员，立即用绷带在伤口近心端5 cm处缚扎，阻止蛇毒吸收，再用清水、双氧水冲洗伤口，口服和外敷一些蛇药片，尽早使用抗蛇毒血清；为预防传染性疾病暴发，对传染源、传播途径以及易感人群实施防控措施。

（4）迅速转送伤病员　洪水灾害险情变化较大，应尽早把伤病员转送到安全地区的医院治疗。

六、火灾救护

火灾(fire)是严重威胁生命财产安全，影响经济发展和社会稳定的常见灾害。全球每年发生火灾约 600 万起，造成数万人死亡和数以亿计的经济损失。发生火灾必备三个条件：可燃物、助燃物、引火源。

1. 危害特点

(1)火焰、烟气蔓延迅速火灾发生后，在热传导、对流和辐射作用下，极易蔓延扩大，造成大量的高温热烟，给人的逃生和灭火带来极大的威胁和困难。

(2)空气污染、通气不畅、视线不良　火灾现场由于烟雾、水汽的综合作用，人的视线受到很大影响，污染的空气夹带着有毒物质，对逃生和救援都带来很大的影响。

(3)人员疏散困难　火灾突然发生，人们在惊慌之下，现场会非常混乱拥挤，造成人为踩踏损伤的几率比较大，对人员的疏散工作带来很大困难。

(4)人员伤亡和经济损失惨重　火灾常发生于人员密集的场所，消防设施不健全，人们也缺乏自我逃生训练，发生火灾时常造成较大的人员伤亡和财产损失。

2. 急救原则

火灾可通过直接伤害和间接伤害造成人体损伤，最主要的伤情是火焰烧伤，再有就是热烟灼伤。间接的伤害就是浓烟引起窒息；烟雾中有毒的气体如二氧化碳、一氧化碳等，可刺激呼吸中枢，引起中毒性死亡；另外被倒塌的建筑物砸伤、刺伤以及割伤的也多见。火灾的现场救护中必须进行环境评估，注意保护自身安全，避免自身伤亡，应遵循以下原则：

(1)检伤分类　对火灾致伤的伤病员，评估烧伤面积和深度，注意有无吸入性烧伤、窒息、骨折以及是否中毒等情况。

(2)火焰烧伤的伤病员　迅速脱离火场，脱去燃烧的衣服，用水喷洒着火的衣服；保持呼吸道通畅，给氧；对烧伤的创面，现场不做处理，保护好创面；给予镇痛剂，口服烧伤补液盐；如遇化学性烧伤，迅速脱掉污染的衣裤，用清水持续冲洗创面 30 min 以上。

(3)中毒窒息伤病员　迅速将伤病员转移至通风良好处，保持呼吸道通畅，给予吸氧，呼吸、心跳停止 者，立即行心肺复苏，并转送至医院进一步救治。

(4)其他　对于砸伤、刺伤或高处坠落伤的病人可能合并多发性创伤，按创伤急救原则进行救治。

(5)分流转送　对于现场急救处理后的伤病员，都应尽早转送至医院接受治疗。转送途中做好病情观察，尤其关注大面积烧伤的病人，防止发生低血容量性休克。

七、交通事故救护

交通事故伤(traffic crash injury)是指交通事故时因各种因素作用机体造成组织结构破坏和功能障碍。交通事故一般分为机动车事故、摩托车事故、自行车事故和行人事故等类型。自 1899 年纽约发生第一例因交通事故致死事件后，全球每年因交通事故死亡人数逐年上升，世界卫生组织统计资料表明：每年死于交通事故的约有 125 万人，受伤有 3000 万人以上。

1. 危害特点

(1)发生率、死亡率和致残率高 交通事故的发生在中低收入国家占了约80%，WHO统计每年死于交通事故的人约有125万，致残约有500万人。

(2)引发交通事故的因素颇多 有驾驶人因素，如疲劳驾驶、超速、酒后驾驶、违规驾驶等车辆因素；机械故障和设计缺陷，WHO指出世界80%国家销售的部分车辆不符合基本安全标准；还有道路环境因素，包括道路设计施工缺陷和恶劣天气的影响等。

(3)致伤因素多，损伤机制复杂 交通事故过程中同一伤病员可同时发生多种损伤，同一类损伤也可出现在身体多个部位。

(4)伤情严重、死亡率高 交通事故损伤往往可以造成多发性创伤、复合伤，伤情复杂、休克死亡率高。

(5)诊治难度大 交通事故伤可同时存在开放性和闭合性损伤，也可能是多部位、多系统损伤，容易漏诊和误诊，确定救治的顺序困难。

2. 急救原则

交通事故伤可造成车内外人多种损伤类型，如撞击伤、碾压伤、切割伤、跌落伤、撕裂伤、挥鞭样损伤、骨折等，以头面部及四肢损伤比例最高，其次为胸腹部和脊柱伤。在现场急救过程中应遵循以下原则：

(1)快速检伤分类 救援人员到达现场后应快速评估现场环境，确保伤病员和施救者安全，设置必要的醒目的警戒线和警戒标志；现场环境评估后，要评估伤病员的数量和严重程度，是否需要增援，以及危重伤病员的紧急处理和转送。

(2)现场救护 根据伤病员的具体伤情采取有效的救护措施。

①头面部损伤 有出血的迅速加压包扎止血，再检查有无颅内出血及颅骨骨折；有窒息者，将伤员平卧，清除口腔血块及异物，保持呼吸道通畅，必要时安置口咽通气管、环甲膜穿刺或者气管切开；检查颈部有无大动脉损伤、颈椎有无骨折，怀疑颈椎损伤立刻给伤病员上颈托，按脊柱骨折进行搬运和转送。

②胸腹部损伤 检查胸部有无肋骨骨折，气胸、血气胸等，有开放性气胸者迅速封闭伤口，变开放性气胸为闭合性气胸；有张力性气胸者立即穿刺减压；腹部脏器脱出时给予干净敷料覆盖、固定，不可把已脱出脏器送回腹腔。

③骨折 四肢骨折、关节伤应在现场加以固定，脊柱损伤者3~4人搬运至硬担架，防止继发性损伤。

④肢体离断 对离断的肢体的残端进行包扎止血，残肢用洁净敷料包裹并低温保存随伤病员一起转送到医院。

(3)分流转送 交通事故造成的大批量伤病员，应根据周围的医疗资源进行分流转送，以确保伤病员都能得到最好的救治。

⬦ 八、矿难救护

矿难(mine disaster)是指在采矿过程中发生的事故。我国煤炭产量居世界首位，同时也是一个矿难大国。常见的矿难有瓦斯爆炸、煤尘爆炸、透水事故、矿井失火、顶板塌方等。

1.危害特点

新时期,煤矿事故呈现出突发性、破坏性、灾难性、继发性的特点,对矿区作业人员造成极大的安全威胁,同时造成较大的经济损失。煤矿事故的危害性之所以这么大,与事故发生后应急能力不足、救援不及时有关。

(1)影响范围大、伤亡人数多　我国的煤矿均为瓦斯矿井,瓦斯爆炸是矿山最严重、破坏性最强的群体伤亡事故。一旦发生瓦斯爆炸,会产生巨大的冲击波和反射冲击波,也会产生大量有毒的气体,温度可以高达几千摄氏度,对井下作业的工人都是致命性的损伤。

(2)救援条件有限　这是煤矿重大灾害事故不同于其他行业事故的最明显特征。井下一般灾害包括水、火、瓦斯、顶板、煤尘。当重大事故发生时,井下的生产系统会遭到破坏,巷道被堵,导致新鲜风流无法及时输送至被困人员,而被困人员在无新鲜风流或其他供给的条件下存活时间较短。

(3)伤病员伤势重　矿难发生时,工人多会因为井下作业的冒顶、塌方等导致砸伤、挤压伤、坠落伤等;也可能因为瓦斯爆炸引起爆炸伤、烧伤;也有一部分透水事故导致淹溺。

2.急救原则

我国煤矿系统的急救工作由井下和井口保健站、矿医疗站、矿务局总医院三级急救医疗网负责。一旦矿难发生,如何尽早开始医疗救援是影响救援成功的关键,应遵循如下原则:

(1)加强煤矿救护队的急救技能训练　煤矿救护队是矿难救援的主力军,矿难发生后首先下井实施救援,加强救护队的急救技能训练是提高矿难救援水平的重要措施。

(2)检伤分类　按检伤分类的原则对伤病员进行快速评估和分类处置。

(3)现场救护　对爆炸伤、烧伤以及砸伤的伤病员保持呼吸道通畅,给氧;包扎止血创面、固定骨折部位;镇痛、补液、抗休克及抗感染治疗。对窒息中毒者,应立即转运至通风良好处,保持呼吸道通畅,给氧;根据中毒情况采取相应的救护措施。

(4)分流转送　根据伤病员的数量和严重程度进行分流转送至医院,进行进一步的救治。

九、急性放射性损伤救护

放射性损伤指机体全身或局部受到放射线外照射或放射性核素污染而导致的组织损害。能引起放射性烧伤的射线主要有β射线、γ射线和X射线。

1.危害特点

(1)突发性和快速性　放射事故往往突然发生,会有大量放射物质蔓延到周边空气中,对人们健康威胁极大,引起腹泻、脱发、出血、头晕等。

(2)损伤多为复合伤　放射性损伤首先累及的是皮肤,可导致皮肤的急性放射性损伤,也可能引起放射性皮肤癌;还可能导致急性大脑综合征、胃肠综合征、造血系统的损伤等。

(3)社会心理影响大　随着科技的普及,人们对核辐射、核辐射事故及放射物感染等了解越来越多,也认识到核辐射事故的巨大危害。因此,人们对于核辐射事故也是十分惧怕。一旦某地区有核辐射事故出现,那么该地区附近的人们将惶恐不安。

(4)影响范围大、持续时间长　在核辐射事故出现后,不仅对社会秩序冲击极大,而且事故波及范围大、危害人群多、持续时间长。只要某区域的空气中夹杂着放射物,那么该区域中生活的所有居民都可能感染放射物。再次,放射物在空气中的停留时间会特别长,无法在短时间内消除。

2.急救原则

(1)启动灾难事件指挥系统　一旦发生放射性事故，应立即向上级汇报，启动应急预案，将事故控制在最小的范围，减小事故的后果。

(2)现场救护

①尽快脱离放射源，消除放射性沾染，避免再次受到照射。

②保护损伤部位，防止外伤及各种理化刺激，及时给予必要的保护性包扎。

③消除炎症，防止继发感染，促进组织再生修复。

④对不同程度的放射性烧伤采取不同的方法进行治疗，对有深部组织损伤，经久不愈的溃疡应考虑进行手术治疗，切除坏死组织，进行缝合、植皮或者皮瓣移植。

⑤如同时伴有全身性放射损伤(放射病)，应局部治疗与全身治疗结合进行。

3.对污染的场所进行去污处理

事故造成的某些场所被放射性污染后，在放射性物质泄漏已得到可靠控制的情况下，应迅速安排进行场所去污，在去污过程中，应对所产生的固态和液态废物进行适当分类收集，以便进一步处理或处置。并做好场外环境的辐射监测。

◇ 十、突发公共卫生事件救护

突发公共卫生事件(public health emergency)是指已经发生或者可能发生的、对公众健康造成或者可能造成重大损失的传染病疫情和不明原因的群体性疫病，还有重大食物中毒和职业中毒，以及其他危害公共健康的突发公共事件。

1.危害特点

(1)突发性　事件多为突然发生，发生紧急，难以预测，无法做出相应的应对措施。

(2)成因的多样性　许多公共卫生事件与自然灾害有关，如地震过后会引发大的疫情。也有的公共卫生事件跟环境的污染、生态的破坏有关。社会安全事件也是形成公共卫生事件的一个重要原因。

(3)分布的差异性　在时间分布上有差异性，不同季节传染病的发病率不同。

(4)传播的广泛性　传染病一旦具备传染源、传播途径以及易感人群，就可能在毫无国界情况下广泛传播。

(5)复杂性以及多样性　重大卫生事件不仅对人的健康有影响，对环境、经济乃至政治都有影响。引起公共卫生事件的因素是多样性的，如生物因素、自然灾害、食品药品安全事件等。

(6)频繁发生、新发事件多　近些年公共卫生事件发生率越来越频繁，与忽视生态保护、有毒害物质滥用，公共卫生事业建设投入经费不足都有关系，导致新发事件不断发生，如艾滋病发病率越来越高、非典疫情、禽流感疫情、手足口病等都威胁着人类的健康。

2.急救原则

(1)启动突发事件应急处理指挥部　突发事件发生后，应由有关部门成立突发事件应急处理指挥部，实行统一领导、统一指挥。

(2)做好应急预案　包括对突发事件的监测和预警；突发事件信息的收集、分析、报告与通报制度；事件的分级、应急工作方案；现场控制、应急设施、设备、救治药品和医疗器械等储备和调度。

（3）积极上报　突发公共卫生事件情况紧急，必须及时向上级领导汇报。

（4）现场处理原则　突发公共卫生事件情况紧急，应立即将受害者脱离现场，送往有条件的专科医院，必要时立即隔离。对传染病病人和疑似传染病病人，应当采取就地隔离、就地观察、就地治疗的措施，减少危险因素的扩散。

思 考▶
1. 学会绷带、三角巾的包扎。

2. 小芳是一名护士，末日逛街，路遇一老人突然手捂左前胸倒地，呼之不应。请思考一下，该老人发生了什么情况？如果你是小芳，该如何急救？

第二章练习题

第三章

急诊科救护

学习小贴士

掌握：急诊病人的护理工作；分诊的各种方法和多功能监护仪的使用；维持气道畅通的各种方法；呼吸和循环支持的各种方法；常见急性中毒的急诊救护；常见急症的处置。

熟悉：急诊室的布局和管理；常见急症的分诊思路；常见急性中毒的临床表现。

能力拓展：通过查阅资料，了解呼吸和循环支持各种方法的工作原理；常见中毒的发病机制；树立"生命第一、时效为先"的急救意识，建立良好的团队合作；能举例说明急诊科病人家属的需求。

第一节　急诊科的设置和管理

急诊科（emergency department）是医院急诊诊疗的第一站，是院前急救的延续，也是急危重症病人最集中、抢救与管理任务最繁重的科室。急诊科实行 24 h 开放，为病人及时获得后续的专科诊疗服务提供支持和保障。医院急诊科的医疗护理过程均以"急"为中心，其诊疗水平的高低，直接关系到病人的生命安全，也集中反映出一家医院的科学管理水平。

一、急诊科的设置与管理

1.急诊科的设置

（1）急诊　急诊科接待与处理日常急诊就诊的各种病人，24 h 随时接诊病人，分诊护士负责接诊、分诊急诊病人；急诊护士根据病情轻重缓急给予分级处理、分区安置。随时接收院外救护转运来的病人，并对其进行及时、合理、有效的后续治疗。这是急诊科的主要任务。

知识点案例：急诊科的设置和管理　　微课：急诊科的布局和管理　　急诊科的布局和管理PPT

（2）急救　是急诊科的重要任务，负责院内的急诊就诊和院外转运到急诊科的急危重症病人的抢救、诊疗、病情观察工作，必要时可派出救护车参加院外的现场急救和病人的转运

工作。急救工作要做到及时、迅速和准确。

（3）灾难救护 急诊科承担灾害事故的急救工作，当自然灾害或突发公共卫生事件时，医护人员应服从组织安排，快速前往第一现场参加救护工作，并将病人安全送到医疗单位继续救治。科室应建立完善的突发公共事件应急预案，有紧急扩容的临时急救组织、分流批量病人的方案，以及与多家医院协同抢救的能力。

（4）急救护理的科研、教学与培训 对急诊专科护士进行培训，加速急诊人才的成长是提高急诊护理质量的重要手段。急诊科承担对医护人员的专业培训工作，定期组织学习，不断更新知识，掌握急救专业的前沿动态、新技术和新知识。急诊医护人员的技能评价与再培训间隔时间原则上不超过 2 年。急诊科还承担急救知识的宣传教育、公众急救知识普及等任务。同时急诊科还承担临床医疗护理教学工作，包括对在校生、实习生的临床教学，对急诊进修人员和培训轮转人员的临床教学等。急诊科可获取急危重症病人病情变化的第一手资料，积极开展有关急症的病因、病程、发病机制、诊断、紧急救护等方面的研究，从而提高急救治疗的质量，促进急救专业的快速发展。

2. 急诊科的布局

急诊科应独立或相对独立地位于医院的一侧或前部，就诊流程便捷通畅，有明显的标志，夜间有灯光标识，便于就诊者寻找。急诊科还设有急诊与急救两通道，各自有独立的进出口，急救车能直达急救通道门口，方便病人就诊和抢救。建筑格局和设施合理布局，有利于缩短急诊检查和抢救距离，同时应当符合医院感染管理的要求，根据急诊工作的特点，其主要布局大致如下：

（1）预检分诊处（台） 是院内急诊病人就诊的第一站，应设在急诊科入口处最醒目的位置，标志要清楚，光线充足，通风良好，面积足够，便于检查病人，有保护病人隐私的设施，有救护车可直达的通道，方便接收或转送求诊者。备有必要的体格检查物品和医疗护理文书记录表格，如血压计、听诊器、监护仪、快速血糖检测仪、体温计、压舌板、手电筒、检查床等，还可配置电话传呼系统、对讲机、呼叫器、广播系统等，方便与相关人员、相关科室取得联系。另外，为方便病人还应放置平车、轮椅、饮水设施、自助银行等，并配备有导医、运送人员和保安。由经验丰富的分诊护士对急诊病人进行快速评估、分类，引导急救流程，进行电脑信息登记。预检分诊人员每天要对备用物品进行检查，对各种通讯设备进行测试，以确定急诊科工作的正常进行，保证急救质量。

（2）抢救复苏室 急诊科抢救复苏室一般设在靠近急诊分诊处，应有足够的空间，充足的照明，门双向可开，以便搬运和抢救病人。抢救室内设置需遵循以下原则：①抢救室内必须配备有必要的抢救仪器和器械，并应当具有必要时施行紧急外科处置的功能，如心电图机、呼吸机、人工简易呼吸器、多参数心电监护仪、电除颤仪、体外心脏起搏器、洗胃机、抢救车、气管插管、简易呼吸气囊、面罩、洗胃用品、输液泵、微量注射泵、输血器、输液器、导尿包、气管切开包、各种穿刺包、无菌物品等。承载平台放置心电监护仪、呼吸机，便于抢救与监护。②常备的急救药品有心脏复苏药物，呼吸兴奋药，血管活性药，利尿及脱水药，抗心律失常药，镇静药，止痛、解热药，止血药，常见中毒的解毒药，平喘药，纠正水电解质酸碱失衡类药，各种静脉补液液体，局部麻醉药，激素类药物等。这些药品根据编号顺序放置在抢救车内，便于随时移至床旁抢救。③根据医院总体规模，设置相应数量的抢救床，抢救床最好是多功能、可移动、可升降、无需电源的转运床，床旁配有环形静脉输液架、遮帘布，床头设有给氧装置、吸引装置。每张抢救床应有足够的空间，净使用面积不少于 12 m²。有足够的电源插座，每床装配电源插座 10~12 个。④墙壁应挂有常用抢救流程图，如心搏骤停抢救流程图、过敏性休克抢救流程图、脑出血抢救流程图等。

（3）诊疗室　诊疗室的设置应依据医院的特色和条件因地制宜。急诊室的医师由专职和各科派值班医师轮流相结合。综合性医院设有内、外、妇、儿、眼、口腔、耳鼻喉、骨科等诊疗室，有条件的医院还可增设神经内科、创伤科、脑外科等分科诊室。室内除必要的诊查床、办公桌、办公椅和计算机外，还须按各专科特点备齐急诊所用的各科器械和抢救用品，如眼科、耳鼻喉科、口腔科应备有特殊设备。诊疗室一般是诊疗区域，如发现危重病人，应立即转送到抢救室救治。

（4）清创室或急诊手术室　清创室的位置应与抢救室、外科诊疗室毗邻。目前，多数医院的急诊科只设了清创室，《急诊科建设与管理指南（试行）》（卫医政发〔2009〕50 号）规定，三级综合医院和有条件的二级综合医院应当设急诊手术室，使急危重外伤病人能就近进行紧急外科手术。急诊手术室应设无菌手术间、清洁手术间和清创室各一间。并有相应附属房间，如敷料间、器械准备间、洗手间和更衣间。其设置除一般手术室的仪器设备和药品外，应重点突出手术抢救设备。手术间应备有多功能手术床、无影灯、紫外线消毒灯、转动椅、器械柜、器械车、麻醉桌、托盘、输液架、X 线看片灯、治疗台、治疗车等设备；还应配备中心供氧和中心吸引装置、麻醉机、吸引器、心电监护仪等抢救用品及常用的麻醉、急救药物等。

（5）治疗室　急诊科应有独立的治疗室，一般设在靠近护士站或各诊查室中央，便于为急诊病人进行各种护理操作。治疗室内设置有配液操作台和无菌物品柜，操作台上放置治疗盘，内有消毒溶液、棉签、无菌镊子、开瓶器等，还应备无菌物品柜、治疗车及输液、抽血消毒用品，用于各项治疗前及输液前的准备。治疗室内要安装紫外线灯管，每日进行空气消毒。

（6）急诊观察室　对短时间内不能明确诊断，需较长时间治疗，病情较重需继续观察以明确诊断者或抢救处置后需要等待病床进一步住院治疗的病人，收入急诊观察室。急诊病人留观时间原则上不超过 72 h。病室内设置正规床位，床号固定。观察室的设施按普通病区的要求配置，床头柜、床尾椅、陪护椅等配备齐全，设备带要有中心供氧装置、负压吸引装置，并配备抢救车和轨道式输液架等设施。

（7）急诊重症监护室（emergency intensive careunit，EICU）　急诊重症监护室是收治危重病人进行抢救、集中治疗和监护的场所，最好和急诊抢救室毗邻。EICU 的床位数根据医院急诊人数、危重病人所占比例以及医院有无其他相关 ICU 等因素来确定。EICU 各种监护抢救设施设备齐全，可实行 24 h 连续不间断监护，发现异常可及时抢救处理。监护室应备有多功能监护装置、心肺复苏用物、呼吸机、除颤仪、心电图机、血透机、临时心脏起搏器、输液泵、微量注射泵、中心供氧和吸引装置、抢救车、各种抢救药品、抢救物品如喉镜、各种型号的通气导管和气管插管、手控呼叫器等相关的急救设备与器材。

（8）隔离室　遇有疑似传染病病人，护士及时通知专科医生到隔离室内诊治，病人的排泄物要及时处理。有条件的医院应设疑似传染病病人的专用厕所。凡确诊为传染病的病人，要及时转入传染科或传染病医院。

（9）辅助支持部门　包括急诊挂号室、急诊收费处、后勤服务处及保安等部门。目前已有部分医院对急诊后勤实行社会化管理，导医、保洁、病人的运送以及物品的传递等工作，由经过培训的非医务工作者来完成。

3. 急诊科的管理

(1)加强急诊科的管理是提高救护质量的保证。在临床实践中应根据现代急诊急救护理特点，建立合理的管理模式、可行的工作制度，使工作规范、有章可循，保障急危重症病人得到及时、迅速、准确、有效的救护措施。急诊科管理要求：抢救优先，标识醒目；配置合理，培训规范；分诊准确，救治及时；首诊负责，无缝衔接；分区救治，分级管理。

(2)急诊科人员管理

①急诊科护理人员编制按床位与医师之比为 1∶0.3；床位与护士之比为 1∶0.6；监护床位与护士之比为 1∶4~1∶3。

②实行护理部、科主任领导下的护士长责任制，护士长作为急诊科护理质量的第一责任人，负责本科室全面护理工作。

③急诊科应选具有 5 年以上临床实践经验的住院医师或全科医师、有一定临床经验的护士。从事急诊工作的护士，必须接受过正规护理学历教育，取得护士执业证书和急诊护士上岗证，并定期接受急救技能的再培训，再培训间隔时间原则上不超过 2 年。

④急诊科实习医生和进修医生不得单独值班。

二、急诊科主要工作制度

1. 首诊负责制

(1)是急诊科的工作制度之一。凡是第 一 个接待急诊病人的科室、医生、医院即是首诊科室、首诊医生、首诊医院。

(2)首诊科室和首诊医生应对其所接诊的病人，特别是急、危、重病人的诊疗、会诊、转诊、转科、转院、病情告知等医疗工作负责到底。

(3)首诊医生发现涉及他科或确系他科病人时，应在询问病史、体格检查、写好病历并进行必要的紧急处置后，再请有关科室会诊或转科。不得私自涂改科别，或让病人去预检分诊处改科别。

(4)凡是遇到多发伤、跨科疾病或诊断未明的伤病员，首诊科室和首诊医生应首先承担主要诊治责任，并及时邀请有关科室会诊。在未明确收治科室前，首诊科室和首诊医生应负责到底。

(5)如需转院，且病情允许搬动时，由首诊医生向医教科(医务处)汇报，落实好接收医院后方可转院。

2. 急诊观察室管理制度

(1)急诊观察室收治对象　危重症不宜搬动的病人；符合住院条件，无床位不能入院的病人；某些病症经治疗尚未稳定者，如高热、腹痛等；不能立即确诊，离院后病情有可能突然变化者。注意传染病病人不予留观。

(2)急诊值班护士要按时、详细、认真地进行交接班，重要情况应书面记录。要主动巡视病房，及时记录和反映情况。

(3)急诊病人留观时间原则上不应超过 3 天，特殊情况例外。

（4）留观病人离开急诊观察室时，须由值班医生下达离院或住院医嘱，护士向病人交代相关手续，病人办理后方可离开。

3. 急诊抢救室管理制度

（1）急诊抢救室主要是为危及生命和重要脏器功能障碍的病人提供紧急救治和高级生命支持。一旦生命体征稳定，脱离危险，要及时转到相应专科和 ICU 治疗，不得滞留在抢救室，抢救室要保证有空的抢救床，以备急危重症病人的到来。

（2）抢救时，医护人员应按岗定位，按照相应疾病的抢救程序开展工作，严密观察伤病员病情变化，及时详细做好记录，严格执行查对制度，防止差错事故，口头医嘱执行时应加复述。

（3）应根据伤病员病情，及时予以吸氧、吸痰，打开静脉通道，人工呼吸、胸外心脏按压、止血等应急处置，待伤病员病情稳定后方可移动病员。

（4）急诊抢救室应备齐各种抢救药品、物品、器械和敷料等，各类仪器要定位放置，最好"防潮、防震、防热、防尘、防腐蚀、上油"保养。设专人管理，要有明显标记，不准任意挪动、挪用或外借。药品、器械用后应立即清理、消毒，然后放回原处。消耗部分及时补充，以备再用。对药品应经常检查，发现霉变、虫蛀或变质等情况应随时报告并更换。抢救室的一切物品、药品、器械，每日应核对一次，做到班班交接，账物相符。急救物品性能良好，完好率 100%。

（5）新仪器调试合格后方可使用，遵循"定使用寿命、定收费标准、定使用效率"的标准。使用人员严格培训，正确掌握仪器的使用和保养方法。

（6）对常见急危重症应制定抢救护理预案或流程图。医护人员应有丰富的临床抢救经验，能熟练掌握各种抢救仪器的性能、操作技术和排除一般故障。

（7）抢救过程中应注意与伤病员家属或联系人取得沟通，详细交代病情。

4. 急诊病人接诊及护送入院制度

（1）由预检班护士负责，对危重病人，护士应到急诊大门迎接，护送入急诊诊区、手术室或抢救室，同时予以监测生命体征及一系列措施。

（2）对生命体征不稳定的急危重症病人，经抢救病情稳定后，可收入住院进一步救治。危重病人一律由护士及护工送入病房，必要时由医生一起护送，要做好交接工作，以保证病人医疗安全。

（3）急诊留观病人均由护理人员护送进行特殊检查，对危重病人必须由医生一同护送，以保证病人的医疗安全。

5. 涉及法律问题的伤病员处理办法

（1）积极救治，同时增强法律意识，提高警惕；立即通知科主任、医务科并上报治安部门。

（2）病历书写实事求是、准确清楚，病历要保管好，切勿遗失和被涂毁；开具验伤单及诊断证明要实事求是，并经上级医师核准；对医疗工作以外的问题不随便发表自己的看法。

（3）保留服毒病人的呕吐物以便做毒物鉴定。昏迷病人的财物交给家属（要有第三者在场）保管；值班护士代为保管时应有两人签字；留观期间有家属或公安人员陪守。

6.急救绿色通道制度

急救绿色通道即是对急危重症病人遵遁优先抢救、优先检查、优先住院的原则,延后补办医疗相关手续。

(1)对所有生命体征不稳定和预见可能危及生命的各类急危重症病人应第一时间开启急救绿色通道。

(2)急救绿色通讯设备要有效便捷　根据不同地区的不同情况,可选择对讲机、有线电话、无线电话、视频电话等通讯设备,并设立急救绿色通道专线,不间断地接收院内、院外的急救消息。

(3)急救绿色通道流程图要简单明了　在急诊大厅制作简洁明了的急救绿色通道流程图,方便病人及家属直接、快速地进入急救绿色通道。

(4)急救绿色通道标志要醒目　急救绿色通道的各个环节,包括分诊室、抢救室、抢救通道、急诊诊疗室、急诊手术室、急诊药房、急诊化验室、急诊输液室、急诊影像中心、急诊观察室等都应有醒目的标志,可采用红色或绿色的标牌或箭头作指示。

(5)急救绿色通道医疗设备要齐全　不同地方不同医院相差较大,一般应备有可移动的推车和床、氧气设备、吸引设备、多参数监护仪、气管插管设备、除颤起搏设备、简易呼吸器、输液泵、常规心电图机、呼吸机等。

(6)进入急救绿色通道的急危重症病人应有详细的登记　包括姓名、性别、年龄、住址、就诊时间、陪护人员及联系方式、病情和初步诊断等。病人的处方、辅助检查申请单、住院单等单据上应加盖"急救绿色通道"标志,保证病人抢救、检查、转运的顺畅。

微课：急诊绿色通道　　急诊绿色通道PPT

三、急诊病人的病情监测

1.急诊病人的护理工作

急诊科护理工作主要包括接诊、分诊、急诊护理处理等部分,这些环节紧密衔接,可使病人尽快获得专科确定性治疗,最大限度地降低病人的伤残率、病死率和医疗纠纷。

(1)急诊接诊

接诊是指接诊护士对到达医院急诊科的病人热情接待,并按病情轻、重、缓、急分别处理。

(2)急诊分诊

①分诊的定义　指根据病人主诉及主要症状和体征,对病情种类和严重程度进行简单、快速地评估与分类,对疾病的轻、重、缓、急及所属专科进行初步诊断,安排救治程序及分配专科就诊的技术。这个过程应在 2~5 min 内完成。

微课：急诊分诊　　急诊分诊PPT

②分诊技巧　由于公式易记,实用性强,临床上常用公式法分诊,以下几种公式供参考:

1)SOAP 公式,是四个英文单词第一个字母的缩写。

S(subjective,主观感受):收集病人的主观感受资料,包括主诉及伴随的症状。

O(objective,客观现象):收集病人的客观资料,包括体征及异常征象。

A(assess,估计):对收集的资料进行综合分析,得出初步诊断。

P(plan,计划):根据判断结果,进行专科分诊,按轻、重、缓、急有计划地安排就诊。

2）PQRST 记忆公式，适用于疼痛病人的分析。PQRST 5 个字母相连，刚好是心电图的五个波形字母顺序，因而极易记忆和应用。

P（provoke，诱因）：疼痛的诱因是什么？什么可以使之缓解或加重？

Q（quality，性质）：疼痛是什么性质的？病人是否可以描述？

R（radiation，放射）：疼痛位于什么部位？是否向其他部位放射？

S（severity，程度）：疼痛的程度如何，如果把疼痛程度由轻到重对应 1~10 的数字，病人的疼痛相当于哪个数字？

T（time，时间）：疼痛的时间有多长？何时开始？何时终止？持续多长时间？

③收集资料　分诊护士要对病人强调的症状和体征进行分析，但不宜作诊断。除注意病人主诉外，还要用眼、耳、鼻、手进行辅助分析判断，并养成观察的习惯。

1）问诊　了解既往史、用药史、过敏史和现病史，通过询问病人、家属或其他知情者，了解发病的经过及当前的病情。询问的过程要注意方式和技巧，尽可能使收集的资料完整、准确。

2）视诊　用眼观察病人的一般情况、身体各个部位、四肢、骨骼等的异常情况，还可观察病人呕吐物、排泄物、分泌物的颜色、性状和量的异常改变。

3）触诊　用手去触摸，了解心率、心律及周围血管充盈度；探知皮温、毛细血管充盈度；触疼痛部位，了解疼痛的涉及范围及程度。

4）听诊　借助听诊器和仪器听病人的呼吸、咳嗽，有无异常杂音或短促呼吸，心音、心律，肠鸣音和血管音等。

5）嗅诊　用鼻闻病人是否有异常的呼吸气味，如酒精味、酸味；是否有化脓性伤口的气味及其他特殊气味。

6）叩诊　在胸腹部检查方面尤为重要，可用于确定肺尖的宽度和肺下界的定位，胸腔积液积气的多少，心界的大小与形态，肝脾的边界，腹水的有无与多少等。

④病情分类　经资料收集、分析判断，根据病情一般可将病人分为四类。

1）第Ⅰ类　危急症，病人生命体征极不平稳，目前有生命危险者，需紧急抢救，如得不到紧急救治，很快会危及生命。如心跳呼吸停止、高血压危象、严重心律失常、呼吸道阻塞、重度烧伤、严重创伤、严重药物中毒、大出血、神经损伤等。

2）第Ⅱ类　急重症，有潜在生命危险，病情随时可能急剧变化者，需要紧急处理与严密观察。需优先就诊者，如疑似药物过量但意识清楚、稳定性哮喘、持续性的呕吐或腹泻、撕裂伤合并有肌腱损伤、胸痛怀疑心肌梗死、外科危重急腹症、突发剧烈头痛、严重创伤、烧伤、严重骨折、高热等。

3）第Ⅲ类　亚紧急，一般急诊，此类病人病情较稳定，生命体征平稳，无严重并发症，但仍需在 3~6 h 内治疗。如轻度腹痛、轻度外伤、脓肿、闭合性骨折、小面积烧伤、呕吐等。

4）第Ⅳ类　非紧急，可等候，也可到门诊诊治或次日就诊，此类病人病情轻，无生命危险。

（3）处理

将进入急诊科的病人，经评估、分诊后，根据不同的病种和病情，进行及时、合理的处置，急诊处理原则如下：

①急危重症病人处理　对危重病人开通急救绿色通道，并通知有关医生进行急救处理，

病情稳定后再去办理就诊手续。在紧急情况下，如果医生未到，护士应先采取必要的应急措施，如人工呼吸、胸外心脏按压、除颤、吸氧、吸痰、止血包扎、建立静脉通路等。同时密切观察病情变化，做好抢救记录、执行告知程序。

②一般病人处理　可在通知专科医生的同时办理就诊手续。由专科急诊就诊处理，视病情分别将病人送入专科病房、急诊观察室或带药离院。

③特殊病人处理　遇交通事故、吸毒、自杀等涉及法律问题者，应立即通知公安机关等有关单位和部门。

④传染病病人处理　对疑患传染病病人应进行隔离，确诊后及时转入相应病区或转传染病院进一步处理，同时做好传染病报告工作与消毒隔离措施。

⑤成批伤病员处理　遇有成批伤病员就诊及需要多专科合作抢救的病人，应通知医务处和护理部值班人员，护士除积极参与抢救外，还应协助应急预案的启动、急救物品、药品、仪器的准备、人员的分工、救治区域分区设置、组织实施有效急救措施、病人及家属安抚等协调工作，尽快使病人得到分流处理。

⑥病人转运处理　对病重病人外出特殊检查、急诊住院、转 ICU、去急诊手术室或转院，途中需要医护人员陪送、监护，必要时可进行床边检查，做好交接工作。

⑦各项处理记录　在急诊病人的处理中应及时做好各项记录，执行口头医嘱时，应复述一次，经二人核对后方可用药，抢救时未开书面医嘱或未做记录的，应告知医生补写医嘱，抢救记录应在抢救结束后 6 小时以内及时补上，书写要规范清楚，并做好后续工作交接，对危重病人进行床头交接班。

2. 多功能监护仪的使用

（1）适应证

各种心律失常；心肌缺血或心肌梗死等心电图改变；监测生命体征情况；目前临床上急诊病人常规使用多功能监护仪监测病情变化。

微课：心电监护仪的操作

（2）禁忌证

没有绝对禁忌证。

（3）操作方法

①用物准备　使用时先接通监护仪电源，并打开电源开关。检查监护仪的功能及导线连接是否正确。

②评估　病人病情、意识状态、皮肤情况、指甲情况、有无过敏史、有无起搏器；评估病人周围环境、光照情况及有无电磁波干扰。

③操作步骤

1）向病人耐心解释监护的目的和重要性，取得病人配合，打消其顾虑。

2）正确放置电极片：将电极片与监护仪导联线相连后，按照心电监护仪上标识出来的电极贴放位置，正确地将电极片紧贴于病人胸部。注意：应避开伤口和需要除颤的部位。电极的连接包括五导联连接法和三导联连接法。

五导联连接法：右臂电极（RA），安放在胸骨右缘锁骨中线第一肋间；左臂电极（LA），安放在胸骨左缘锁骨中线第一肋间；右腿电极（RL），安放在右锁骨中线剑突水平处；左腿电极（LL），安放在左锁骨中线剑突水平处；胸部电极（C），安放在胸骨左缘第四肋间。

三导联连接法：右臂电极（RA），安放在右锁骨下外侧；左臂电极（LA），安放在左锁骨下外侧；左腿电极(LL)，安放在左锁骨中线左下腹。

3）血压计袖带的位置：将血压计袖带安放在病人的上臂或大腿上，保证标注记号的位置正好位于适当的动脉上，松紧以伸入一手指为宜。

4）血氧饱和度探头的放置：将血氧饱和度探头正确安放于病人的指(趾)端或耳廓处，使其光源透过局部组织，保证接触良好。

5）根据病人情况设定参数，调节波形。

6）安置病人于舒适体位，告知注意事项，放呼叫器于易取处，整理床单位。

7）在护理记录单上记录心率、SpO_2、呼吸和血压等。

（4）护理要点

①密切观察心电图波形，必要时记录，能够及时正确处理干扰和电极脱落。正确设定报警参数，监护中不可关闭报警声音。

②每日检查电极片安放位置的皮肤，若出现过敏现象，需改变安放位置，电极片松脱应及时更换。对躁动不安的病人，应妥善固定好电极和导线。

③对长时间连续监测血氧饱和度的病人，应每2小时检查监测部位的皮肤和末梢循环情况，如有不良改变，应及时更换监测部位。注意避免影响血氧饱和度监测结果的因素，如病人发生休克、体温过低、使用血管活性药物及贫血等；病人涂抹指甲油、环境光线过强、电磁干扰等。

④为确保指甲正对血氧探头光源射出的光线，不可在一侧肢体上同时进行血氧饱和度及血压的监测。

⑤血压计的袖带应合适，袖带的长度和宽度应符合标准。不能在静脉输液或插有导管的肢体上进行血压测量。

⑥根据病人病情正确选择无创血压的测量模式，手动模式，只测量一次；自动模式，时间间隔可选择；开启自动模式的第一次必须手动启动。

⑦停止心电监护时，应先断开电源、再取下电极片，并用纱布或棉球清洁病人贴电极片处的皮肤，最后清洁消毒监护仪机壳和各导联线，并将各导联线顺势盘绕、妥善固定。

第二节　心肺脑复苏

◆ 一、认识心肺脑复苏

知识点案例：
心肺脑复苏

对危重病人处于濒死阶段的抢救性医疗措施称为复苏术。针对心搏骤停的抢救，人们在20世纪50年代和60年代期间逐步形成现代心肺复苏方法，它的出现已挽救了众多呼吸、心跳停止的人类生命。1956年首次记载除颤器的应用，电除颤重新转复心脏的正常节律掀开了医学史上崭新的一页。1958年，研究者纵观千年历史，根据从公元前800年左右对先知elijaah口对口人工呼吸最早的记载，至助产士一直都在利用这项技术有效地挽救新生儿的生命这一事实，提出了对心搏骤停病人实行口对口人工呼吸的方法。1960 年 Kouwenhoven 氏首先创立并倡导"不开胸心脏按压术"，开创了以胸外心脏按压为基础的心肺复苏术(CPR)。此后各国先后制定了内容大致相同的成人心肺复苏术标准和指南。1979 年和 1985 年又制定和完善了小儿心肺复苏术。但接受现场 CPR 且存活者中 10%~40%遗留明显的永久性脑损害，这一事实引起人们对脑保护及脑复苏的重视，推动了脑复苏的研究和实施，将 CPR 扩展为心肺脑复苏(cardio – pulmonary – cerebral resuscitation, CPCR)，即包括心、肺、脑复苏 3 个主要环节。完整的心肺脑复苏是指对心搏骤停病人采取的使其恢复自主循环和自主呼吸，并尽早加强脑保护措施的紧急医疗救治措施。

◆ 二、心肺脑复苏理论的发展

医学专业人员学习 CPCR 和实践已有 70 多年的历史。AHA1974 年开始制定了心肺复苏指南，并在医学发展的进程

微课：心肺脑复苏 心肺脑复苏PPT

中逐步完善 CPCR 的内容，分别于 1980 年、1986 年和 1992 年多次修订再版，并将其应用于 CPCR 主要机构和高等急救培训教程，为救助者和急救人员提供了有效、科学的救治建议，指导挽救了更多的心血管急症病人。新指南于 2020 年由 AHA 召开的国际指南会议制定了世界性应用范围，在方法学上确定其安全和有效性，同时认同指南 2020 提供了有效、简便易学及最领先的复苏理论、研究方法和实际经验。

一直以来，主要有以下一些 CPCR 的理论。其中，以三阶段九步骤法最具代表性。

1. 三阶段九步骤法

这一复苏程序和方法认为，无论何种原因所引起的心搏骤停，其处理原则大致相同。首要的任务是尽快建立有效循环，提高心输出量。如果发生在医院内，应该立即进行有效的心肺复苏和急诊心电监护。如果在现场一无药物、二无设备的情况下，一般可先按照 Gordon 提出的 A、B、C、D 方案进行抢救。为便于讲述及记忆，人为把心肺脑复苏过程分为三阶段九步骤，即：①基本生命支持期(BLS 期，basic life support)：是指紧急供氧期，包括 A–Airway，开放气道；B–Breathing，呼吸支持；C–Circulation，循环支持。②进一步生命支持期(ALS 期，advanced life support)，也称高级生命支持，是指恢复自主循环和稳定心肺系统期，包括 D–drug，给药；E–Electrocardiograph，心电图；F–Fibrillation treatment，除颤。③长期生命支持期(PLS 期，prolonged life support)，也称持续生命支持，是指长期复苏的复苏后强化护理，包括：G–Gauging，估计可治性、判断死因；H–Human mentation，保持和恢复人的智能活动；I–Intensive care，强化监护。

目前观点认为，现场即刻开始实施 A、B、C 复苏措施是心肺脑复苏能否成功的关键，因而把第一期 A、B、C 三个步骤归为现场心肺复苏术(CPR 技术)。其中 B(口对口人工呼吸)、C(胸外心脏按压)，配以 1956 年 Zoll 提出的体外电击除颤法，构成了现代复苏的三要素。

2. CAB 顺序

在三阶段九步骤法的基础上，有人提出将 ABC 改为 CAB，即主张对心搏骤停病人，复苏时首先进行循环支持，理由是：①病人在心搏骤停后可有 1~2 次自发性气喘，气喘可导致气管内压力的较大变化和声门的快速开启，其张力的变化足以维持呼吸道的畅通及气体交换，心血管和肺内尚有氧合血液，立即心脏按压可使心脑得到血供，且按压时胸廓回弹，有助于肺通气。在 CPR 最初的 8 分钟内胸外按压和自主气喘所产生的潮气量已足以将动脉血气维

持在较高水平。②肺在正常呼吸时含有足够的氧,呼吸停止后30 s内尚能维持正常的血氧含量,脑对缺氧的耐受性比缺血大,在整个复苏过程中呼吸均有可能保持满意状态。一旦缺氧,脑细胞可通过无氧代谢和细胞内的能量储备维持其功能,而一旦血流中断且缺氧加重,代谢毒物无法从肾脏排泄,加重损害。③若先实行人工呼吸,即使得到局部(肺)血氧增加,由于无血流动力,仍不能起到应有作用,而且不熟练的人做人工呼吸反而会浪费宝贵时间。④Chandra等在犬心脏停跳后4 min进行心脏按压,经4 min后测动脉血氧饱和度仍大于90%,平均每分钟通气量达到$(5.2\pm1.1)L/m^2$。基于以上因素,有人认为心搏骤停早期仅做心脏按压足以维持机体基本需要。

3. 生存链(chain of survival)

1990年美国心脏病协会介绍了一种心搏骤停受害者的治疗模式,称为"生存链"。总体概括为四个早期:①早期通路(Early access):"第一目击者"具有识别心搏骤停的基本知识并及时求救。②早期心肺复苏(Early CPR):经徒手CPR培训者即能维持受害者起码的循环状况,直至实行电除颤。③早期除颤(Early defibrillation):尽可能快地给受害者实施除颤。④早期高级生命支持(Early ACLS):尽早提供呼吸支持、血管活性药物使用及生命监护等医疗支持。其中,实验及临床研究表明,四个早期环节中最为重要的一环是早期除颤。

微课:院内心肺
复苏操作

◇ 三、基础生命支持(BLS)

内容详见"第二章第二节心搏骤停病人的院前急救"。

◇ 四、高级生命支持

ALS主要为在BLS基础上应用辅助设备及特殊技术,建立和维持有效的通气和血液循环,识别及治疗心律失常,建立有效的静脉通路,改善并保持心肺功能及治疗原发疾病。是心搏骤停后5~10分钟的第二个处理阶段,一般在医疗单位中进行。包括建立静脉输液通道,药物治疗,电除颤,气管插管,机械呼吸等一系列维持和监测心肺功能的措施。ALS应尽早开始,如人力足够,BLS与ALS应同时进行,可取得较高的疗效。

1. 明确诊断

尽可能迅速地进行心电监护和必要的血流动力学监测,明确引起心搏骤停的病因和心律失常,以便及时采取相应的救治措施。

2. 控制气道

心肺复苏时急救人员可采用口咽气道、鼻咽气道以及其他可选择的辅助气道保证人工呼吸。

(1)口咽气道　口咽气道主要应用于浅昏迷而不需要气管插管的病人,但应注意其在口腔中的位置,因为不正确的操作会将舌推至下咽部而引起呼吸道梗阻。清醒病人用口咽气道可引起恶心、呕吐,或由呕吐物引起喉痉挛。

(2)鼻咽气道　鼻咽气道在牙关紧闭、咬伤、颞颌关节紧闭、妨碍口咽气道置入的颌面部创伤时是很有用的。对疑有颅骨骨折的病人使用鼻咽气道要谨慎。在浅昏迷病人,鼻咽气道比口咽气道的耐受性更好。但鼻咽气道置入可引起鼻黏膜的损伤而致出血，如果导管过长，可刺激声门反射引起喉痉挛、恶心及呕吐，操作中应尽量注意避免损伤。

（3）喉罩（LMA）　是由一根通气导管和远端一个卵圆形可充气罩组成，LMA 被置入咽部，在远端开口进入下咽部感觉有阻力时，向罩内注入适量空气，密封喉部，即可进行通气。与面罩相比，喉罩通气更安全可靠，误吸、反流发生率低。与气管插管相比，LMA 同样可提供通气，且置放更为简单。对于可能存在颈部损伤或为进行气管插管所必需的位置达不到时，LMA 可能具有更大的优势。但因为置管与通气没有保证，部分病人即使置入 LMA，也不能通过 LMA 通气。

（4）气管插管　有条件时，应尽早作气管插管，因其能保持呼吸道通畅，防止肺部吸入异物和胃内容物，便于清除气道分泌物，并可与简易人工呼吸器、麻醉机或通气机相接以行机械人工呼吸。

（5）环甲膜穿刺　遇有插管困难而严重窒息的病人，可用 16 号粗针头刺入环甲膜，接上"T"型管输氧，可立即缓解严重缺氧状况，为下一步气管插管或气管切开术赢得时间，奠定完全复苏的基础。

（6）气管切开术　是为保持较长期的呼吸道通畅，易于清除气道分泌物，减少呼吸阻力和呼吸道解剖无效腔，主要用于心肺复苏后仍长期昏迷病人。

3. 氧疗和人工通气

（1）简易呼吸器法　简易呼吸器由一个有弹性的球囊、三通呼吸活门、衔接管和面罩组成（图 3-2-1）。在球囊后面空气入口处有单向活门，以确保球囊舒张时空气能单向流入；其侧方有氧气入口，有氧气条件下可自此输氧 10~15 L/min，可使吸入氧气浓度增至 75% 以上。

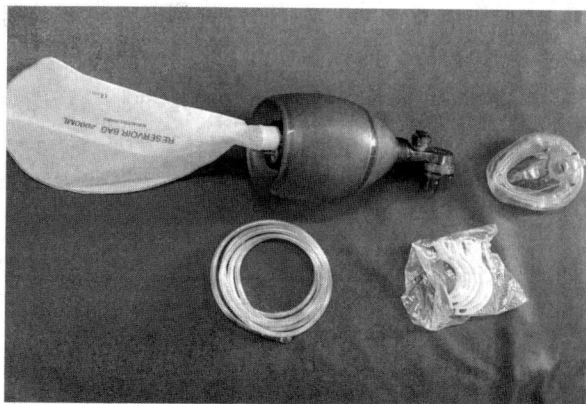

图 3-2-1　简易呼吸器

（2）机械人工呼吸和机械人工循环　气管插管呼吸机加压给氧呼吸可减少呼吸道无效腔，保证足够供氧，呼吸参数易于控制，是最有效的人工呼吸，院内复苏应予提倡使用。为减少急救者的体力消耗，解决人力不足的问题，提供更适当的挤压频率、深度和时间的胸外机械按压装置。现有电动和手动控制的胸外机械压胸器，有的更兼施机械人工呼吸，有利于长途转运中继续进行胸外心脏按压术。

4. 开胸心脏按压

实验证实开胸心脏按压心排出量高于胸外心脏按压约一倍,心脑灌注也高于后者。大量临床资料表明胸外心脏按压效果不满意,最终仅 10%~14% 完全康复;而开胸心脏按压的长期存活率却高达 28%。因此,开胸心脏按压术又重新受到重视。

(1)适应证

①胸部创伤引起心搏骤停者;胸廓畸形或严重肺气肿、心包填塞者。

②经常规胸外心脏按压 10~15 分钟(最多不超过 20 分钟)无效者。

③动脉内测压条件下,胸外心脏按压时的舒张压小于 5.332 kPa。

(2)方法　采用左前外侧第四肋间切口,以右手进胸。进胸后,右手大鱼际肌和拇指置于心脏前面,另四手指和手掌放在心脏后面,以 80 次/分的速度,有节律地挤压心脏。也可用两手法,将两手分别置于左右心室同时挤压。

5. 药物治疗

30 多年来,用于心肺复苏的药物变化较多,包括肾上腺素、利多卡因、阿托品、碳酸氢钠等。到目前为止,肾上腺素仍是首选药物。

(1)用药目的

①提高心脏按压效果,激发心脏复跳、增强心肌收缩力。

②提高周围血管阻力,增加心肌血流灌注量和脑血流量。

③纠正酸中毒或电解质失衡,使其他血管活性药物更能发挥效应。

④降低除颤阈值,为除颤创造条件,同时防止室颤的发生。

(2)给药途径　动物实验证明,心腔内注射、静脉注射、气管内给药恢复自主心律的时间,分别为 139 秒、127 秒、132 秒。

①静脉给药:为保证复苏用药准确,迅速进入血液循环及重要脏器,必须建立可靠的静脉输液通道。心搏骤停前,如无静脉通道,应首选建立周围静脉(肘前或颈外静脉)通道,或经肘静脉插管到中心静脉。因为虽然外周静脉用药较中心静脉给药的药物峰值浓度要低、起效循环时间较长(外周静脉给药到达中央循环时间需 1~2 分钟,而通过中心静脉给药时间则较短),但建立颈内或锁骨下静脉等中心静脉通道往往会受胸外按压术的干扰,而外周静脉穿刺易操作,并发症少,且不受心肺复苏术的干扰。而且如果在行外周静脉给药时在 10~20 秒内快速推注 20 mL 液体,往往可使末梢血管迅速充盈,缩短起效时间。如果电除颤、周围静脉给药均未能使自主循环恢复,在急救人员有足够经验的前提下,要考虑放置中心静脉导管。

②气管给药:如在静脉通道建立前已完成气管插管,某些药物可经气管插管或环甲膜穿刺注入气管,可迅速通过气管、支气管黏膜吸收进入血液循环。常用药物有肾上腺素、利多卡因、溴苄胺、阿托品、纳洛酮及安定等。其剂量应为静脉给药的 2~3 倍,至少使用 10 mL 生理盐水或蒸馏水稀释后,以 1 根稍长细管自气管导管远端推注,并接正压通气,以便药物弥散到两侧支气管。其吸收速度与静脉注入相近,而维持作用时间为静脉给药的 2~5 倍。但药物可被气管内分泌物稀释或因气管黏膜血循环不足而吸收减慢,需用大剂量。因而作为给药的第二途径选择。

③心内注射给药:自胸外向心内注药因有许多缺点,一般不主张采用。其缺点包括用药过程中中断 CPR,操作不当可发生气胸、血胸、心肌或冠状动脉撕裂、心包积血等。且注入

心腔内的准确性不到50%。若将肾上腺素等药物注入心肌内，还可造成顽固性室颤。

6.电复律

某些心搏骤停的病人可采用电复律或电除颤技术进行复苏，目前在此技术的研究上也获得了许多重要进展。

(1)非同步电除颤　救护车内配备有心电监护仪和除颤器。心搏骤停病人可表现为多种心电图类型，一旦明确为室颤，应迅速选用除颤器进行非同步除颤，它是室颤最有效的治疗方法。目前强调除颤越早越好。因为室颤发生的早期一般为粗颤，此时除颤易于成功，故应争取在2分钟内进行，否则心肌因缺氧由粗颤转为细颤则除颤不易成功。在除颤器准备好之前，应持续心脏按压。一次除颤未成，应当创造条件重复除颤。而对于心室静止和电-机械分离病人，如果电除颤时心肌活动正好处在心动周期的相对不应期，则可能形成室颤，因此必须避免电除颤。

①操作步骤

1)在准备电击除颤同时，做好心电监护以确诊室颤。

2)有交流电源(220 V，50 Hz)时，接上电源线和地线，并将电源开关转至"交流"位置，若无交流电源，则用机内镍铬电池(15 V)，将电源开关转至"直流"位置。近年来以直流电击除颤为常用。

3)按下胸外除颤按钮和非同步按钮，准备除颤。

4)按下充电按钮，注视电功率数的增值，当增加至所需数值时，即松开按钮，停止充电。

5)电功率的选择。传统推荐成人首次单相波除颤能量为200 J。

6)将电极板涂好导电膏或包上浇有生理盐水的纱布。电极放置位置应能产生最大的经心脏电流。标准的部位是一个电极置于胸骨右缘锁骨下方，另一个电极置于左乳头的外侧，电极的中心在腋中线上。另一种电极放置方法是将心尖电极放于心前区左侧，另一个电极(胸骨电极)放在心脏后面、右肩胛下角区。必须注意电极应该很好地分隔开，其间的导电胶或生理盐水等物质不能沿胸壁外流，否则可能会形成一个经胸壁的电流，而不流经心脏。对安有永久性起搏器的病人行电转复或除颤，电极勿靠近起搏器，因为除颤会造成其功能障碍。

7)嘱其他人离开病人床边。操作者两臂伸直固定电极板，使自己的身体离开床缘，然后双手同时按下放电按钮，进行除颤。

8)放电后立即观察心电示波，了解除颤效果。如除颤未成功，第2次和第3次除颤能量可仍是200 J或者提高到360 J。重复相同能量水平的除颤，能增加成功除颤的可能性。因为在重复除颤中经胸电阻抗值下降，应用相同的能量，在随后的除颤过程中将会形成更强的电流。当除颤能量增加时，电流增加更为显著，因此第2次除颤肯定比首次的能量更大；如果两次单相波除颤均不成功，则应增加至360 J的能量；如果室颤终止后再出现，则给予此前成功电除颤的能量再除颤。

②注意事项

1)除颤前应详细检查器械和设备，做好一切抢救准备。

2)电极板放的位置要准确，并应与病人皮肤密切接触，保证导电良好。

3)电击时，任何人不得接触病人及病床，以免触电。

4)对于细颤型室颤者，应先进行心脏按压、氧疗及药物等处理，使之变为粗颤，再进行电击，以提高成功率。

5）电击部位皮肤可有轻度红斑、疼痛，也可出现肌肉痛，3~5 天后可自行缓解。

6）开胸除颤时，电极直接放在心脏前后壁。除颤能量一般为 5~10 Ws。

（2）自动体外除颤仪（AED, Automated External Defibrillator）　是一种便携式、易于操作，稍加培训即能熟练使用，专为现场急救设计的急救设备。从某种意义上讲，AED 不仅是种急救设备，更是一种急救新观念，一种由现场目击者最早进行有效急救的观念。AED 有别于传统除颤器，可以经内置电脑分析和确定发病者是否需要予以电除颤。除颤过程中，AED 的语音提示和屏幕显示使操作更为简便易行。AED 非常直观，对大多数人来说，只需几小时的培训便能操作。美国心脏病协会认为，学用 AED 比学 CPR 更为简单。

使用 AED 需急救人员逐步操作，首先在除颤前必须确定被抢救者具有"三无征"，即无意识、无脉搏、无呼吸。

具体操作步骤是：打开电源开关，将两个电极固定在病人胸前，机器自动采集和分析心律失常，操作者可获得机器提供的语音或屏幕信息。一经明确为致命性心律失常（室性心动过速、心室颤动），语音即提示急救人员按动除颤键钮，如不经人判断并按除颤键钮，机器不会自行除颤，以免出现误电击。

（3）紧急起搏　心脏起搏器系利用电子装置，节律性地发放一定频率的脉冲电流，通过导线和电极的传导，刺激心肌，使其发生节律性收缩。一些严重心动过缓的病人发生宽大逸搏可突发室速甚至室颤，当常规抗心律失常药物不能抑制这些逸搏时，通过起搏增加固有心率可消除这些逸搏。在心跳完全停止时，包括心室静止和电-机械分离，起搏通常无效。

体外心脏起搏操作快速、方便，是心脏复苏时的首选。许多新的除颤器都附有体外起搏器，更增加了其快速起效的可行性。但是对起搏的反应可能会由于电极位置或病人体态而异，如桶状胸气道内气体过多的病人会因导电性差而难以起搏。体外起搏对清醒或转为清醒的病人会因为肌肉收缩而感到不适，应用麻醉剂、镇痛剂或安定会减轻这一不适，直到体内起搏操作完成。

五、持续生命支持

PLS 的重点是脑保护、脑复苏及复苏后疾病的防治。即除了积极进行脑复苏，应严密监测心、肺、肝、肾、凝血及消化器官的功能，一旦发现异常立即采取有针对性的治疗。

1. 脑完全性缺血缺氧的病理生理

心搏骤停时因缺血、缺氧最易受损的是中枢神经系统。复苏的成败，在很大程度上与中枢神经系统功能是否恢复有密切关系。临床数据表明，心搏骤停病人恢复自主循环后 1/3 未能得到脑复苏而死亡，1/3 长期存活者可遗留运动、认知障碍，其中仅 1%~2% 能生活自理。近年来对于心搏骤停后神经系统受损的严重性和正确的治疗方法已越来越引起临床专家的关注。一项临床统计值得重视，经"复苏存活"而住院、但最终死亡的病人，死因为明显的神经系统损伤者占 59%。

心搏骤停缺氧首当其冲是对脑的损害，脑组织耗氧量高，能量储存少，无氧代谢能力有限。因此，脑组织对缺氧很敏感，在正常体温下，心脏停搏 3~4 min，即可造成"不可逆转"的脑损伤。脑复苏是复苏的最终目的，直接关系到整个复苏的成败。现已证实，神经细胞的损害发生在心跳恢复后，即缺血后再灌注损害。近年来对这种脑缺血后再灌注损害的机制进行了大量的研究，提出了诸多的学说，包括能量衰竭、离子内环境尤其是钙离子紊乱、花生四烯酸代谢异常、酸碱平衡紊乱、氧自由基学说、兴奋毒性学说、基因突变等。这些研究对提高脑复苏成功率具有指导意义。

缺氧对脑组织造成的损害：①脑血管自动调节机能丧失，脑血流量减少。②微血管管腔狭窄，微循环灌注受限。③脑细胞代谢紊乱、脑水肿。④二氧化碳蓄积，渗透压升高，加重脑水肿。

有的学者将复苏后的脑损伤称为"复苏后综合征"，大致可分为三期：①充血期：这是最初很短暂的时期，灌流可以超过正常时期，但是分布不均匀。目前尚不清楚这些增加了的血流是否确切灌注了微循环。②低灌流期(无再灌流期)：经过充血 15~30 min 后，开始发生细胞水肿，同时出现血凝块，红细胞凝集，血流成泥流状，血小板聚集。此外，还可能存在颅内压增高、脑血管收缩、毛细血管周围红细胞肿胀等。最终发生脑血管痉挛，此时脑血流显著淤滞。这一低灌流现象在脑组织各部的严重程度并不一致，一般可持续 18~24 小时。③后期：低灌流期以后，经过救治，脑组织可能部分恢复功能，并逐渐完全恢复(这与抢救是否及时及所采取的措施是否得当有密切关系)；或持续性低灌流，导致长时间或永久性昏迷，甚至脑死亡。

2. 脑复苏

(1)治疗措施

①维持血压　循环停止后，脑血流的自主调节功能丧失，而依赖于脑灌注压，故应维持血压于正常或稍高于正常水平，以恢复脑循环和改善周身组织灌注，同时应防止血压过高而加重脑水肿，防止血压过低而加重脑及其他脏器组织缺血、缺氧。

②呼吸管理　大脑缺氧是脑水肿的重要根源，又是阻碍恢复呼吸的重要因素。因此在心搏骤停开始应及早加压给氧，以纠正低氧血症。应用呼吸机进行机械通气，使 $PaCO_2$ 降低，从而使脑小动脉平滑肌收缩，脑血容量缩减，有利于防止颅内压升高及"反跳"现象。纠正低氧血症，保证脑组织充分供氧是必需的。

③降温　脑组织的代谢率决定脑局部血流的需求量。体温每升高 1℃，脑代谢率约增加 8%。复苏后，体温升高可导致脑组织氧供需关系的明显失衡，从而影响脑的康复。相对而言，低温是降低大脑代谢率的一种有效方法，曾广泛应用于心血管外科手术中，但低温对心搏骤停复苏后的病人可产生明显副作用，包括可增加血液黏滞度、降低心排血量和增加感染的易患性。但许多报告表明，脑缺血后低温疗法确实可以产生较好的效果。最近研究表明，轻度低温(34℃)对于减轻脑缺血损伤有很好的疗效，而且损害作用也较小。正常脑组织中，脑部温度每降低 1℃，大脑代谢率可降低 7%。

1)降温开始时间：产生脑细胞损害和脑水肿的关键性时刻，是循环停止后的最初 5 分钟。因此降温时间越早越好，争取在抢救开始后 5 分钟内用冰帽降温。

2)降温深度：不论病人体温正常或升高，均应将体温(肛表或鼻腔温度)降至亚冬眠(35℃)或冬眠(32℃)水平。脑组织温度降至 28℃，脑电活动明显呈保护性抑制状态，但体温降至 28℃易诱发室颤等严重心律失常，所以宜采用头部重点降温法。降温可保护缺氧的脑组织，停止颅内充血(或出血)。脑部的温度每降低 1℃，颅内压下降 5.5%。脑水肿病人要求在 30 分钟内将体温降至 37℃以下，在数小时内达到预期降温目的。

3)降温持续时间：持续时间根据病情决定，一般需 2~3 天，严重者可能要 1 周以上。

为防止复温后脑水肿反复和脑耗氧量增加而加重脑损害，故降温持续至中枢神经系统皮层功能开始恢复，即以听觉恢复为指标，然后逐步停止降温，让体温自动缓慢上升，绝不能复温过快，一般每 24 小时体温提升 1~2℃为宜。

4)降温方法：①物理降温：除在颈部（两侧）、前额、腋下（两侧）、腹股沟（两侧）应用冰袋降温外，还必须在头部放置冰帽。②药物降温：药物降温是应用冬眠药物进行冬眠疗法。物理降温必须和药物降温同时进行，方能达到降温的目的和要求。

5)降温护理要点：及早降温，平稳降温，深度降温，持续降温，缓慢升温。①及早降温：产生脑细胞损害和脑水肿的关键时刻是循环停止后的最初 5 min，因此降温越早越好，在不影响 CPR 的情况下，应尽早采取有效的降温措施，争取在抢救开始后 5 min 内用冰帽头部降温。以最快速度，力争在半小时内使体温降至 37℃以下，于数小时内逐级降至要求的体温。②降温要够深，头部要求 28℃，肛门要求 30~32℃。③要有足够的低温时间：降温应持续到病情稳定、神经功能恢复、出现听觉反应为止。④降温过程要平稳，及时处理副作用，为防止寒战和控制抽搐，可用小剂量肌松剂或镇静剂。⑤逐渐升温：自下而上撤冰袋，保持每 24 h 体温上升 1~2℃为宜。

（2）脑复苏药物的应用

①冬眠药物　主要目的在于消除低温引起的寒战，解除低温时的血管痉挛，改善循环血流灌注和辅助物理降温。可选用冬眠 I 号（哌替啶 100 mg、异丙嗪 50 mg、氯丙嗪 50 mg）或 IV 号（哌替啶 100 mg、异丙嗪 50 mg、乙酰丙嗪 20 mg）分次肌注或静滴。

②脱水剂　为防治脑水肿，在降温和维持血压平稳的基础上，宜及早应用脱水剂，通常选用速尿或 20%甘露醇，20%甘露醇 250 mL 静脉注射或快速静滴，30 分钟内滴完；速尿 20 mg 静脉注射，视病情重复使用，也可选用 20%甘露醇与 50%葡萄糖交替使用。

③激素的应用　肾上腺皮质激素除能保持毛细血管和血-脑脊液屏障的完整性，减轻脑水肿和降低颅内压外，还有改善循环功能，稳定溶酶体膜，防止细胞自溶和死亡的作用。最好选作用强而潴钠潴水作用较小的皮质激素制剂，地塞米松常为首选药物。

④促进脑细胞代谢药物的应用　ATP 可供应脑细胞能量，恢复钠泵功能，有利于减轻脑水肿。葡萄糖为脑获得能量的主要来源。此外辅酶 A、细胞色素 C、多种维生素等与脑代谢有关的药物均可应用。

⑤巴比妥的应用　巴比妥是镇静、安眠、止痉的药物，对不全性缺血、缺氧的脑组织具有良好的保护作用。

（3）高压氧的应用　高压氧(hyperbaric oxygen，HBO)能快速、大幅度地提高组织氧含量和储备，增加血氧弥散量及有效弥散距离。显然 HBO 对纠正细胞缺氧，尤以脑水肿条件下的细胞缺氧效果明显。近年来，从分子生物学角度证实，HBO 能提高缺氧细胞线粒体和细胞器中酶合成功能，增强细胞功能与活力，因而具有脑缺氧时生物能、生命合成和解毒的合适调节作用。正因其迅速纠正组织缺氧，打破能量危机所致的瀑布氧反应，从而抓住了脑复苏的关键。同时在无灌流阶段，脑内部分区域会出现"低氧少血"状态，尤以在脑水肿情况下更为严重；而 HBO 的"压力效应"有利于侧支循环的开放与重建。若配合药物的应用，对防止无灌注及低灌注有利，可减轻脑的继发性损害。在复苏后期，由于 HBO 具有增强组织活力及生命合成功能，促进侧支循环形成和重建，对神经细胞的恢复及脑循环的重建有治疗作用。

①应用时间：心博停止时间越短及开展 HBO 治疗越早，效果越好。

②应用要求：CPCR 病人心脏复跳后，只要心率>60 次/分以上，BP 用升压药能维持，即使呼吸未恢复，也应及时进行 HBO 治疗，最好在 24 小时内进行，即在脑水肿及感染高峰出现前进行，可减轻神经损伤，且有利于受损神经细胞的恢复。

③综合治疗：HBO 在复苏中能起到其他任何治疗不能替代的重要作用，但不是唯一治疗，应该强调以 HBO 为重点的综合治疗。

（4）转归　脑缺血后的恢复进程，基本按照解剖水平自下而上恢复，首先复苏的是延髓，恢复自主呼吸，自主呼吸恢复所需的时间可反映出脑缺血、缺氧的严重程度。

自主呼吸多在心博恢复后 1 小时内出现，继之瞳孔对光反射恢复，是中脑开始有功能的体现；接着是咳嗽、吞咽、角膜和痛觉反射恢复；随之出现四肢屈伸活动和听觉。听觉的出现是脑皮质功能恢复的信号，呼唤反应的出现意味着病人即将清醒。最后是共济功能和视觉恢复。

不同程度的脑缺血、缺氧，经复苏处理后可能有以下四种转归：

①完全恢复。

②恢复意识，遗有智力减退、精神异常或肢体功能障碍等。

③去大脑皮质综合征，即病人无意识活动，但保留着呼吸和脑干功能。眼睑开闭自由，眼球无目的地转动或转向一侧，有吞咽、咳嗽、角膜和瞳孔对光反射，时有咀嚼、吮吸动作，肢体对疼痛能回避。肌张力增高，饮食靠鼻饲，大小便失禁。多数病人将停留在"植物性状态"。

④脑死亡，包括脑干在内的全部脑组织的不可逆损害。对脑死亡的诊断涉及体征、脑电图、脑循环和脑代谢等方面，主要包括：

1）持续深昏迷，对外部刺激全无反应。

2）无自主呼吸。

3）无自主运动，肌肉无张力。

4）脑干功能和脑干反射大部或全部丧失，体温调节紊乱。

5）脑电图呈等电位。

6）排除抑制脑功能的其他可能性因素，如低温、严重代谢和内分泌紊乱、肌松药和其他药物的作用等。一般需观察 24~48 小时方能作出结论。

3. 维持循环功能

心博恢复后，往往伴有血压不稳定或低血压状态，为判定有无低血容量及掌握好输液量和速度，宜作中心静脉压（CVP）监测，可将 CVP、动脉压和尿量三者结合起来分析以指导输液治疗。动脉压低、CVP 高、尿少，示心肌收缩乏力，以增加心肌收缩力为主。如心率慢（<60 次/min），可滴注异丙肾上腺素或肾上腺素（1~2 mg 溶 500 mL 液体内）；如心率快（>120 次/min），可静注毒毛花苷 C 0.2~0.4 mg。通常以多巴胺为常用，将 20~40 mg 多巴胺溶于 5% 葡萄糖溶液 200 mL 中滴注。如体内液体相对过多，在给予强心药的同时，可适当给予速尿 20~40 mg 静注，以促进液体排出，减轻心脏负荷。

4. 维持呼吸功能

心博恢复后，自主呼吸未必恢复，或即使恢复但不正常，故仍需加强呼吸管理，继续进行有效的人工通气，及时行血气监测，促进自主呼吸尽快恢复正常。自主呼吸出现的早晚，提示脑功能的损害程度,若长时间不恢复,应设法查出危及生命的潜在因素,给予相应的治疗,如解除脑水肿、改善脑缺氧等。

注意防治肺部并发症,如肺炎、肺水肿导致的急性呼吸衰竭,除加强抗感染治疗外,用机械通气,对通气参数和通气模式要选择合适,在氧合良好的前提下,务使平均气道压尽可能低,以免阻碍静脉回流,加重脑水肿或因胸膜腔内压增高而导致的心排血量减少等不良影响。

5.纠正酸中毒

心搏停止时间长的病人,在复苏后随着微循环改善,组织内堆积的酸性代谢产物可能不断被带入血液,造成"酸中毒",或由于较长时间的低血压和缺氧,代谢性酸中毒仍继续发展。应根据动脉血气、酸碱分析酌情决定碳酸氢钠的用量。一般如能很好地保护肾功能和心、肺功能,酸碱失衡应不难纠正,故重点还在维持循环和呼吸功能。

6.防治肾衰竭

每一个复苏病人应留置导尿管,监测每小时尿量,定时检查血、尿素氮和肌酐浓度,血、尿电解质浓度,鉴别尿少系因肾前性、肾后性或肾性衰竭所致,并依此给予相应的治疗。更重要的是,心跳恢复后必须及时稳定循环、呼吸功能,纠正缺氧和酸中毒,从而预防衰竭的发生。

7.积极治疗原发病

如外伤病人需清创、止血、扩容;中毒病人应用解毒剂等。

六、心肺脑复苏有效的指征

1.传统指标

①瞳孔变化　由大变小,对光反应恢复。

②脑组织功能开始恢复的迹象

1)病人出现挣扎是脑组织活动恢复的早期表现。

2)肌张力增加。

3)吞咽动作出现。

4)自主呼吸恢复。

③心电图:示波屏上出现交界区、房性或窦性心律,即使是房扑或房颤都是心脏恢复的表征。

④发绀消退。

2.呼气末 CO_2 判断 CPR 的全身灌注

与心排量和肺血流量有关,可作为衡量心脏按压有效性的量化指标。

3.CPP(冠脉灌注压)

改善冠脉血流是使心脏复苏成功的关键措施,只有 CPP>15 mmHg 才有恢复自主循环的可能。因直接测量 CPP 较困难,通常用平均动脉压或动脉舒张压与中心静脉压或右心房的压力差来间接判断冠脉灌注压。

◆ 七、终止心肺脑复苏的指征

1. 复苏成功

转入下一阶段治疗。

2. 复苏失败

（1）心脏死亡　心肺复苏已历时 30 分钟，并出现下列情形者：

①瞳孔散大或固定。

②对光反射消失。

③呼吸仍未恢复。

④深反射活动消失。

⑤心电图成直线。

（2）脑死亡　目前尚无明确的"脑死亡"诊断标准，故需谨慎执行，以避免不必要的医疗纠纷。即使脑死亡明确，在我国出于伦理学方面的原因，也应征求病人家属意见方可执行。

第三节　急性中毒病人的救护

某些物质接触或进入人体后，在一定条件下，与体液相互作用，损害组织、破坏神经和体液的调节功能，使其正常的生理功能发生障碍，引起一系列症状和体征，称为中毒（poisoning）。引起中毒的物质称为毒物。有毒的化学物质短时间内或一次超量进入人体而造成组织、器官器质性或功能性损害，称为急性中毒（acute poisoning）。急性中毒发病急剧、症状凶险、变化迅速，如不及时救治，会危及生命。

◆ 一、了解中毒

1. 病因

（1）职业性中毒　工作过程中，不注意劳动保护或违反安全防护制度，密切接触有毒原料、中间产物或成品而发生的中毒。

知识点案例：急性中毒病人的救护　　微课：急性中毒的救护原则　　急性中毒的救护原则PPT

（2）生活性中毒　误食或意外接触有毒物质、用药过量、自杀或故意投毒谋害等原因使过量毒物进入人体内而引起中毒。

2. 毒物的体内过程

（1）毒物进入体内途径　毒物主要经呼吸道、消化道、皮肤黏膜和血管等途径进入人体。

①经消化道吸收：很多毒物经消化道进入人体，如有机磷杀虫药、毒蕈、安眠药、乙醇、河豚等。消化和吸收的主要部位在小肠。脂溶性的毒物以扩散方式透过胃肠道黏膜而被吸收，少数毒物以主动转运的方式在肠内被吸收。影响吸收的主要因素是胃肠道内的 pH、毒物的脂溶性及其电离的难易程度，影响其吸收的因素还包括胃内容物的量、排空时间和肠蠕动等。

②经呼吸道吸收：气体、烟雾态和气溶胶态的物质大多经呼吸道进入人体，如一氧化碳、

砷化氢、硫化氢等。这是毒物进入人体最方便、最迅速的途径，同时也是毒性发作最快的一种途径。随着呼吸道进入人体的毒物很容易被迅速吸收直接进入血液循环，作用于组织器官，使毒物的作用发挥得早而且严重。

③经皮肤黏膜吸收：皮肤是人体的天然保护屏障，多数毒物不能经过健康的皮肤吸收。脂溶性毒物如有机磷、苯类就可以穿透皮肤的脂质层吸收；在局部皮肤有损伤，高温、高湿环境或皮肤多汗时，部分非脂溶性毒物也可经皮肤吸收。

④经静脉直接进入人体：如部分毒品可经静脉注射或皮下注射吸收入静脉而进入人体。

（2）毒物的代谢

①毒物的分布：毒物被吸收后进入血液，分布于体液和组织中，达到一定浓度后呈现毒性作用。影响毒物体内分布的主要因素为毒物与血浆蛋白的结合力、毒物与组织的亲和力以及毒物通过某些屏障如血脑屏障的能力。

②毒物的转化：毒物在体内代谢转化的场所主要在肝脏，通过氧化、还原、水解和结合等方式来完成。大多数毒物经代谢后毒性降低，但也有少数毒物如对硫磷（1605）氧化成对氧磷，其毒性可增加数百倍。

③毒物的排泄：毒物经代谢后大部分由肾脏和肠道排出，一部分以原形由呼吸道排出，还有少数毒物可经皮肤、汗腺、唾液腺、乳腺等排出。

3. 中毒机制

（1）局部刺激、腐蚀作用　强酸、强碱可以吸收组织中的水分，并且可以和蛋白质或脂肪结合，使细胞变性、坏死。

（2）缺氧　刺激性气体可致喉头水肿和痉挛、支气管炎、肺炎或肺水肿，使肺泡的气体交换障碍而引起缺氧。窒息性气体可以阻碍氧的吸收、转运或利用，如一氧化碳、硫化氢、氰化物等。心肌和脑对缺氧敏感，从而引起继发损害。

（3）麻醉作用　有机溶剂和吸入性麻醉剂具有强嗜脂性，脑组织和细胞膜脂类含量高，此类毒素可以通过血脑屏障，进入脑内从而抑制脑功能。

（4）抑制酶的活力　很多毒物或者其代谢产物通过抑制酶的活力而产生毒性反应，如氰化物可以抑制细胞色素氧化酶、有机磷杀虫药可以抑制胆碱酯酶等。

（5）干扰细胞膜或细胞器的生理功能　四氯化碳在体内经过代谢可以产生三氯甲烷自由基，其作用于肝细胞膜的不饱和脂肪酸，产生脂质过氧化，从而导致线粒体和内质网变性，肝细胞死亡。

（6）竞争受体　如阿托品阻断毒蕈碱受体等。

◇ 二、病情评估

1. 病史

对任何中毒都要了解发病现场情况，查明接触毒物情况。神志清楚者询问本人，神志不清者或企图自杀者应该向病人的家属或现场目击者了解情况。

（1）职业性中毒　要了解职业史包括工种、工龄、接触毒物的种类、时间、环境条件、防护措施以及在相同的条件下其他人员有无发病。

（2）生活性中毒　①怀疑有服毒可能者，要了解病人的生活情况、精神状态、长期服用药物的种类以及发病时身边有无药瓶、药袋，家中的药物有无缺少，并且估计服药的时间和剂量。②一氧化碳中毒者要了解室内的火炉、烟囱、煤气及当时室内的其他人员情况。③食物中毒者询问进餐情况、时间、其他同时进餐者有无同样的症状，同时搜集剩余食物、胃内容物和呕吐物送检，并了解其气味、性状。

2. 临床表现

因为毒物性质和毒物的中毒机制不同，中毒的临床表现非常多样化，评估时既要全面评估又要有不同侧重点。

3. 辅助检查

主要包括血液、尿液和毒物的检查。

（1）血液检查　包括外观、生化检查、凝血功能检查、动脉血气分析、异常血红蛋白监测和酶学检查。

（2）尿液检查　包括外观颜色、尿液成分等检查。

（3）毒物检测　有助于确定中毒物质和估计中毒的严重程度。包括早期留取剩余毒物或可能含毒的标本，如呕吐物、胃内容物、血、尿、粪等，尽量不放防腐剂。

4. 病情判断

在进行诊断的同时，应对病人中毒的严重程度作出判断，以便于指导治疗和评价预后。

（1）一般情况　包括神志、体温、脉搏、呼吸、血压、血氧饱和度、皮肤色泽、瞳孔、心率、心律、尿量、尿性状等。生命体征的变化与病情严重程度基本吻合。

（2）毒物的种类、剂量、中毒时间、院前处置情况。

（3）有无严重并发症　病情危重的信号：①深度昏迷；②癫痫发作；③高热或体温过低；④高血压或休克；⑤严重心律失常；⑥肺水肿；⑦吸入性肺炎；⑧呼吸功能衰竭；⑨肝衰竭；⑩少尿或肾衰竭。

三、救治与护理

急性中毒的特点是发病急骤、来势凶猛、进展迅速、病情多变，医护人员必须争分夺秒进行有效救治。

1. 立即终止接触毒物

（1）迅速脱离有毒环境　评估环境安全，对吸入性中毒者，迅速将病人搬离有毒环境，移至空气清新的安全地方，解开衣扣；对接触性中毒者，立即将病人撤离中毒现场，除去污染衣物，用敷料除去肉眼可见的毒物。

（2）维持基本生命体征　若病人出现呼吸、心搏骤停，立即行心肺复苏术，迅速建立静脉通路，尽快采取相应救治措施。

2. 清除尚未吸收的毒物

根据毒物进入人体的途径不同，采取不同的急救措施。

（1）吸入性中毒的急救　将病人搬离有毒环境后，移至上风或侧风方向，使其呼吸新鲜空气；保持呼吸道通畅，及时清除呼吸道分泌物，防止舌后坠；及早吸氧，必要时使用呼吸机或采用高压氧治疗。

（2）接触性中毒的急救　大量清水冲洗接触部位的皮肤、毛发、指甲，特殊毒物可选用酒精、肥皂水、碳酸氢钠、醋酸等冲洗。清洗时切忌用热水或少量水擦洗,防止促进局部血液循环,加速毒物的吸收。若眼部接触到毒物,不应使用药物中和,以免发生化学反应造成角膜、结膜的损伤,应选用大量清水或等渗盐水冲洗,直至石蕊试纸显示中性为止。皮肤接触腐蚀性毒物,应冲洗 15~30 min,可选择相应的中和剂或解毒剂冲洗。

(3)食入性中毒的急救　常用催吐、洗胃、导泻、灌肠、使用吸附剂等方法清除胃肠道尚未吸收的毒物。毒物消除越早越彻底,病情改善越明显,预后越好。

①催吐(emesis):对于神志清且能合作的口服中毒病人只要胃内尚有毒物存留,就应催吐。催吐常在洗胃之前,可起到减少吸收、迅速清除毒物的作用。催吐方法可采用压舌板或手指刺激咽后壁或舌根诱发呕吐,呕吐前可令其先喝适量温水,如此反复进行,直至胃内容物完全呕出为止。另一种方法为口服吐根糖浆 10~20 mL 或皮下注射 5~10 mg 阿扑吗啡(儿童及严重呼吸抑制者忌用)诱发呕吐。但要注意以下病人不宜使用催吐:误服强酸、强碱及其他腐蚀性毒物中毒;昏迷、惊厥状态;年老体弱、孕妇;原有高血压、冠心病、休克等疾病。

呕吐时,病人取左侧卧位,头部放低,面向左侧;幼儿应俯卧,头向下,以防止呕吐物被吸入气管发生窒息或吸入性肺炎。

②洗胃(gastric lavage):洗胃越早越好,一般在摄入 4~6 h 内洗胃效果最好。但如摄入毒物量大,毒物为固体颗粒或脂溶性不易吸收,有肠衣的药片或毒物吸收后部分仍由胃排出等情况时,超过 6 h 仍要进行洗胃。以下情况属洗胃禁忌证:服用强腐蚀性毒物、食管静脉曲张者、近期有上消化道出血或胃穿孔者、惊厥未控制者以及患有严重的心脏疾病或主动脉瘤者。常用的洗胃液为 1:5000 高锰酸钾和 2%~4% 碳酸氢钠,紧急情况下或毒物不明时,通常应用清水或生理盐水;腐蚀性毒物中毒早期通常用蛋清、牛奶、米汤、植物油等保护胃肠黏膜;已知毒物种类可直接选择适宜的解毒剂。使用吸附剂,主要作用为吸附毒物以减少毒物吸收,并氧化、中和或沉淀毒物。活性炭是强力吸附剂,可吸附多种毒物,其效用有时间依赖性,一般应在服毒 60 min 内给予。

③导泻(catharsis):洗胃后,拔胃管前可由胃管内注入导泻药以清除进入肠道内的毒物。常用硫酸钠或硫酸镁,一般 15 g 溶于水,口服或经胃管注入。一般不用油脂类泻药,以免促进脂溶性毒物的吸收。严重脱水及口服强腐蚀性毒物的病人禁止导泻。镁离子若吸收过多,对中枢神经系统有抑制作用,严重肾功能不全、呼吸衰竭、昏迷、磷化锌或有机磷杀虫药中毒晚期者不宜使用。

④灌肠(enema):除腐蚀性毒物中毒外,适用于口服中毒超过 6 h、导泻无效者及抑制肠蠕动的毒物(如巴比妥类、颠茄类、阿片类等)中毒病人。一般应用温盐水、清水或 1% 温肥皂水连续多次灌肠,以达到有效清除肠道内毒物的目的。

3.促进已吸收毒物的排出

(1)利尿　主要用于以原形由肾脏排泄的毒物,加强利尿可促进毒物排出。措施包括以下几点。①补液:大量快速输入液体,速度为 200~400 mL/h,一般以 5% 葡萄糖生理盐水或 5%~10% 葡萄糖溶液为宜,补液内加适量氯化钾。②利尿药:静脉注射或滴注呋塞米等强利尿药或 20% 甘露醇等渗透性利尿药,后者尤适用于伴有脑水肿或肺水肿的中毒病人。③碱化尿液:碳酸氢钠可碱化尿液,使有些化合物(如巴比妥类、水杨酸类及异烟肼等)等离子化而减少其在肾小管的重吸收。④酸化尿液:碱性毒物(如苯丙胺、士的宁等)中毒时,静脉输注维生素 C 或氯化铵,使体液酸化,促进毒物排出。

（2）供氧　一氧化碳中毒时，吸氧可促进碳氧血红蛋白解离，加速一氧化碳排出。高压氧治疗是一氧化碳中毒的特效疗法。

（3）血液净化　包括血液透析、血液灌注和血浆置换。

①血液透析（hemodialysis）：清除血液中分子量较小、水溶性强、蛋白结合率低的毒物，如水杨酸类、氨茶碱类、醇类、苯巴比妥、锂等。短效巴比妥类、有机磷杀虫药、格鲁米特等具有脂溶性，一般不进行血液透析。氯酸盐、重铬酸盐中毒易引起急性肾衰竭，应首选血液透析。血液透析一般应在中毒 12 h 内进行，如中毒时间过长，毒物与血浆蛋白结合后则不易透出。

②血液灌流（hemoperfusion）：对水溶性、脂溶性毒物均有吸附作用，能清除血液中的镇静催眠药、解热镇痛药、洋地黄、有机磷杀虫药、巴比妥类、百草枯、毒鼠强等，是目前最常用的中毒抢救措施。

③血浆置换（plasmapheresis）：将病人的血液引入特制的血浆交换装置，将分离出的血浆弃去并补充新鲜血浆或代用液，借以清除病人血浆中的有害物质，减轻脏器的损害。主要用于清除蛋白结合率高、分布容积小的大分子物质，特别是蛇毒、毒蕈等生物毒及砷化氢等溶血性毒物中毒。

4.特效解毒剂的应用

当毒物进入人体后，除尽快排出毒物，尽早使用特异性的解毒药可取得明显疗效。常用的特效解毒剂有：依地酸钙钠（适用于铅中毒）、二巯丙醇或二巯丙磺钠（适用于砷、汞、金、锑中毒）、亚甲蓝（适用于亚硝酸盐、苯胺、硝基苯等中毒）、亚硝酸盐–硫代硫酸钠（适用于氰化物中毒）、碘解磷定或氯解磷定（适用于有机磷杀虫药中毒）、纳洛酮（阿片类麻醉药中毒）、氟马西尼（苯二氮䓬类药物中毒）。

5.对症治疗

很多急性中毒并无特效解毒剂或解毒方法。因此对症治疗非常重要。其目的在于保护人体脏器，使其恢复功能。严重中毒出现昏迷、肺炎、肺水肿以及循环、呼吸、肾衰竭时应积极地采取相应的有效措施，如心跳、呼吸骤停者应立即给予心肺复苏，注意保暖，维持水、电解质和酸碱平衡，积极防治感染和各种并发症等。

6.护理措施

（1）即刻护理措施　保持呼吸道通畅，及时消除呼吸道分泌物。根据病情给予氧气吸入，必要时行气管插管。

（2）洗胃　①严格掌握洗胃的适应证、禁忌证。②洗胃前做好各项准备工作。洗胃时严格规范操作，插胃管动作轻柔、快捷，插管深度适宜。严密观察病情，首次抽吸物应留取标本作毒物鉴定。③拔胃管时，要先将胃管尾部夹住，以免拔管过程中管内液体反流入气管；拔管后，立即嘱病人用力咳嗽，或用吸引器抽吸病人口咽部或气管内的分泌物、胃内容物。④洗胃后整理用物，观察并记录洗胃液的量、颜色及病人的反应，同时记录病人的基本生命体征，严格清洗和消毒洗胃机。⑤防治洗胃并发症，如心搏骤停、窒息、胃穿孔、上消化道出血、吸入性肺炎、急性胰腺炎、急性胃扩张、咽喉食管黏膜损伤及水肿、低钾血症、急性水中毒、胃肠道感染、虚脱及寒冷反应、中毒加剧等。

（3）病情观察　密切观察生命体征变化，维持水及电解质平衡，及时发现是否出现烦躁、惊厥和昏迷等神志改变、瞳孔变化和脏器功能改变。

（4）一般护理　急性中毒者卧床休息、保暖，病情许可时，尽量鼓励病人进食。急性中毒病人进食高蛋白、高碳水化合物、高维生素的无渣饮食；腐蚀性毒物中毒者应早期给予乳类等流质饮食。吞服腐蚀性毒物者应特别注意口腔护理，密切观察病人口腔黏膜的变化。昏迷者须注意保持呼吸道通畅，维持其呼吸循环功能，做好皮肤护理，定时翻身，防止压疮发生；惊厥时保护病人避免受伤，应用抗惊厥药物；高热者给予降温；尿潴留者给予导尿。对服毒自杀者，要做好病人的心理护理，防范病人再次自杀。

（5）健康教育　加强防毒宣传，向群众介绍有关中毒的预防和急救知识；不吃有毒或变质的食品；加强毒物管理，严格遵守有关毒物的防护和管理制度。

➡ 四、急性有机磷杀虫药中毒病人的急救

有机磷杀虫药（organophosphorous insecticides）其性状多呈油状或结晶状，呈淡黄色至棕色，稍有挥发性，且有蒜味。一般难溶于水，不易溶于多种有机溶剂，在酸性环境中稳定，在碱性条件下易分解失效。但甲拌磷和三硫磷耐碱，敌百虫遇碱则变成毒性更强的敌敌畏。

1. 病因

（1）生产或使用不当　在农药生产、包装、保管、运输、销售、配制、喷洒过程中，由于防护不当、生产设备密闭不严而泄漏、使用不慎、进入刚喷药的农田作业或用手直接接触杀虫药原液等，农药由皮肤吸收或呼吸道吸入而中毒。

（2）生活性中毒　主要由于误服或自服杀虫药、饮用被杀虫药污染的水源或食用污染的食物所致。此种中毒途径一般要比由呼吸道吸入或从皮肤吸收中毒发病急、症状重。滥用有机磷杀虫药治疗皮肤病或驱虫也可发生中毒。

2. 毒物的吸收、代谢及排出

有机磷杀虫药主要经胃肠道、呼吸道、皮肤和黏膜吸收，吸收后迅速分布于全身各器官，其中以肝脏浓度最高，其次为肾、肺、脾等，肌肉和脑内最少。主要在肝脏代谢，进行多种形式的生物转化。经氧化后一般毒性增强，而后经水解毒性降低。如对硫磷、内吸磷经氧化后分别生成对氧磷、亚砜，使其毒性分别增加300倍和5倍，然后通过水解反应毒性降低。敌百虫代谢时，先转化为敌敌畏，使毒性成倍增加，然后经降解反应失去毒性。有机磷杀虫药代谢产物主要通过肾脏排泄，少量经肺排出。

3. 中毒机制

有机磷杀虫药的中毒机制主要是抑制体内胆碱酯酶的活性。正常情况下，胆碱能神经兴奋所释放的递质——乙酰胆碱不断被胆碱酯酶水解为乙酸及胆碱而失去活性。有机磷杀虫药能与体内胆碱酯酶迅速结合形成磷酰化胆碱酯酶，后者化学性质比较稳定，且无分解乙酰胆碱的能力，从而使体内乙酰胆碱大量蓄积，引起胆碱能神经先兴奋后抑制的一系列毒蕈碱样、烟碱样和中枢神经系统症状，严重者可昏迷甚至因呼吸衰竭而死亡。

4. 病情评估

（1）中毒史　有口服、喷洒或其他方式有机磷杀虫药接触史，应了解毒物种类、剂量以及中毒途径、时间和经过。病人身体污染部位或呼出气、呕吐物中闻及有机磷杀虫药所特有的大蒜臭味更有助于诊断。

（2）临床表现　急性中毒发病时间与毒物种类、剂量和侵入途径密切相关。口服中毒者

多在 10 min 至 2 h 内发病。吸入中毒者可在 30 min 内发病；皮肤吸收中毒者常在接触后 2 ~ 6 h 发病。

①毒蕈碱样症状(muscarinic symptoms)：又称 M 样症状，出现最早，主要是副交感神经末梢兴奋所致，表现为平滑肌痉挛和腺体分泌增加。临床表现有恶心、呕吐、腹痛、腹泻、多汗、全身湿冷、流泪、流涎、流涕、尿频、大小便失禁、心跳减慢、瞳孔缩小(严重时呈针尖样缩小)、支气管痉挛和分泌物增加、咳嗽、气促等，严重病人可出现肺水肿。此类症状可用阿托品对抗。

②烟碱样症状(nicotinic symptoms)：又称 N 样症状，因乙酰胆碱在横纹肌神经肌肉接头处过度蓄积，持续刺激突触后膜上烟碱受体所致。临床表现为颜面、眼睑、舌、四肢和全身横纹肌发生肌纤维颤动，甚至强直性痉挛。病人常有肌束颤动、牙关紧闭、抽搐、全身紧束压迫感，后期可出现肌力减退和瘫痪，甚至呼吸肌麻痹，引起周围性呼吸衰竭。乙酰胆碱还可刺激交感神经节，促使节后神经纤维末梢释放儿茶酚胺，引起血压增高、心跳加快和心律失常。此类症状不能用阿托品对抗。

③中枢神经系统症状：中枢神经系统受乙酰胆碱刺激后可有头痛、头晕、疲乏、共济失调、烦躁不安、谵妄、抽搐和昏迷等表现，部分发生呼吸、循环衰竭而死亡。

（3）辅助检查

①全血胆碱酯酶活力(cholinesterase，CHE)测定：诊断有机磷杀虫药中毒的特异性实验指标，对判断中毒程度、疗效和预后均极为重要。一般正常人的 CHE 值为 100%，降至 70% 以下即有意义，但需注意的是 CHE 下降程度并不与病情轻重完全平行。

②尿中有机磷杀虫药分解产物测定：如对硫磷和甲基对硫磷在体内氧化分解生成对硝基酚，敌百虫分解转化为三氯乙醇，检测尿中的对硝基酚或三氯乙醇有助于中毒的诊断。

5.病情判断

（1）轻度中毒　以毒蕈碱样症状为主，CHE 降为 70% ~ 50%。

（2）中度中毒　出现典型毒蕈碱样症状和烟碱样症状，CHE 为 50% ~ 30%。

（3）重度中毒　除毒蕈碱样症状和烟碱样症状外，出现脑水肿、肺水肿、呼吸衰竭、抽搐、昏迷等，CHE 降至 30% 以下。

6.急诊救治

（1）紧急复苏　急性有机磷杀虫药中毒常因肺水肿、呼吸肌麻痹、呼吸衰竭而死亡。一旦发生上述情况，应紧急采取复苏措施：清除呼吸道分泌物，保持呼吸道通畅并给氧，必要时应用机械通气。心搏骤停时，立即行心肺复苏等抢救措施。

（2）迅速清除毒物　立即将病人撤离中毒现场。彻底清除未被机体吸收的毒物，如迅速脱去污染衣物，用肥皂水彻底清洗污染的皮肤、毛发、外耳道、手部、指甲，然后用微温水冲洗干净。口服中毒者选用合适洗胃液反复洗胃，直至洗出液清亮为止，保留胃管 24 h 以上。选用硫酸钠 20 ~ 40 g(溶于 20 mL 水)或 20% 甘露醇 250 mL 导泻治疗，以抑制毒物吸收，促进毒物排出。

（3）解毒剂的应用　解毒剂的应用原则为早期、足量、联合、重复用药。包括①抗胆碱药：代表性药物为阿托品和盐酸戊乙奎醚。②胆碱酯酶复能剂：能使被抑制的胆碱酯酶恢复活力，常用药物有碘解磷定、氯解磷定等。③解磷注射液：为含有抗胆碱剂和复能剂的复方注射液，起效快，作用时间较长。

（4）对症治疗　重度有机磷杀虫药中毒病人常伴有多种并发症，如酸中毒、低钾血症、严重心律失常、休克、消化道出血、肺内感染、DIC、MODS 等，应及时予以对症治疗。

7. 护理措施

（1）即刻护理措施　维持有效通气功能，如及时有效地清除呼吸道分泌物、正确维护气管插管和气管切开、正确应用机械通气。

（2）洗胃护理

①洗胃要及早、彻底和反复进行，直到洗出的胃液无农药味并澄清为止。

②不能确定有机磷杀虫药种类时，用清水或 0.45% 盐水彻底洗胃。

③敌百虫中毒时选用清水洗胃，忌用碳酸氢钠溶液和肥皂水洗胃。

④洗胃过程中密切观察病人生命体征的变化，若发生呼吸、心搏骤停，立即停止洗胃并进行抢救。

（3）用药护理

①阿托品　可与乙酰胆碱争夺胆碱能受体，阻断乙酰胆碱作用，有效解除或减轻毒蕈碱样症状和中枢神经系统症状，改善呼吸中枢抑制。其对烟碱样症状和呼吸肌麻痹所致的周围性呼吸衰竭无效，对胆碱酯酶复活亦无帮助。根据病情每 10~30 min 或 1~2 h 给药一次，直至毒蕈碱样症状消失或病人出现"阿托品化"表现，再逐渐减量或延长间隔时间。"阿托品化"表现包括：瞳孔较前扩大；颜面潮红；皮肤干燥，腺体分泌物减少、无汗、口干；肺部湿啰音消失；心率加快。

护理上注意：1）"阿托品化"和阿托品中毒的剂量接近，因此使用过程中严密观察病情变化，区别"阿托品化"与阿托品中毒（表 3-3-1）。2）阿托品中毒导致室颤，应予以预防，给予充分吸氧，使血氧饱和度保持在正常水平。3）注意观察并遵医嘱及时纠正酸中毒，因胆碱酯酶在酸性环境中作用减弱。4）大量使用低浓度阿托品输液时，可发生血液低渗，致红细胞破坏，发生溶血性黄疸。

表 3-3-1　阿托品化与阿托品中毒的主要区别

	阿托品化	阿托品中毒
神经系统	意识清楚或模糊	谵妄、躁动、幻觉、双手抓空、抽搐、昏迷
皮肤	颜面潮红、干燥	紫红、干燥
瞳孔	由小扩大后不再缩小	极度散大
体温	正常或轻度升高	高热，>40℃
心率	≤120 次/min，脉搏快而有力	心动过速，甚至发生室颤

②盐酸戊乙奎醚：新型长效抗胆碱药，主要选择性作用于脑、腺体、平滑肌等部位 M1、M3 型受体，对心脏和神经元突触前膜 M2 型受体无明显作用，因此对心率影响小。

③胆碱酯酶复能剂：能使被抑制的胆碱酯酶恢复活力，对解除烟碱样症状效果明显，对毒蕈碱样症状作用较差，也不能对抗呼吸中枢的抑制，所以选择一种复能剂与阿托品合用，可取得协同效果。中毒后如果不及时应用复能剂治疗，被抑制的胆碱酯酶将在数小时至 2~3 d 内变为不可逆性，即所谓的"老化酶"，最后被破坏。复能剂对"老化酶"无效，故须早期、

足量应用。

护理上注意：1）早期遵医嘱给药，边洗胃边应用特效解毒剂，首次足量给药。2）复能剂若应用过量、注射过快或未经稀释，可发生中毒，抑制胆碱酯酶，发生呼吸抑制；用药时应稀释后缓慢静推或静滴为宜。3）复能剂在碱性溶液中不稳定，易水解成有剧毒的氰化物，禁与碱性药物配伍使用。4）碘解磷定药液刺激性强，漏于皮下可引起剧痛及麻木感，应确定针头在血管内方可注射给药，不宜肌内注射用药。

8. 病情观察

（1）生命体征　有机磷杀虫药中毒所致呼吸困难较常见，抢救过程中应严密观察病人的体温、脉搏、呼吸、血压，即使在"阿托品化"后亦不应忽视。

（2）神志、瞳孔变化　多数病人中毒后即出现意识障碍，有些病人入院时神志清楚，但随着毒物的吸收很快陷入昏迷。瞳孔缩小为有机磷杀虫药中毒的体征之一，瞳孔扩大则为达到"阿托品化"的判断指标之一。严密观察神志、瞳孔的变化，有助于准确判断病情。

（3）中毒后"反跳"　某些有机磷杀虫药如乐果和马拉硫磷口服中毒，经急救临床症状好转后，可在数日至1周后，病情突然急剧恶化，再次出现急性中毒症状，甚至昏迷、肺水肿或突然死亡，此为中毒后"反跳"现象。其死亡率占急性有机磷杀虫药中毒者的7%~8%，因此，严密观察"反跳"的先兆症状，如胸闷、流涎、出汗、言语不清、吞咽困难等，若出现上述症状，迅速通知医生进行处理，立即静脉补充阿托品，再次迅速达"阿托品化"。

（4）迟发性多发性神经病　少数病人（如甲胺磷、敌敌畏、乐果、敌百虫中毒）在急性中度或重度中毒症状消失后2~3周，出现感觉型和运动型多发性神经病变，主要表现为肢体末端烧灼、疼痛、麻木以及下肢无力、瘫痪、四肢肌肉萎缩等，称为迟发性多发性神经病。

（5）中间型综合征　急性重度有机磷杀虫药（如甲胺磷、敌敌畏、乐果、久效磷等）中毒所引起的一组以肌无力为突出表现的综合征。因其发生时间介于急性症状缓解后与迟发性多发性神经病之间，故称为中间型综合征。常发生于急性中毒后1~4 d，主要表现为屈颈肌、四肢近端肌肉以及第Ⅲ~Ⅶ对和第Ⅸ~Ⅻ对脑神经所支配的部分肌肉肌力减退，出现眼睑下垂、眼外展障碍和面瘫；病变累及呼吸肌时，常引起呼吸肌麻痹，并迅速进展为呼吸衰竭，甚至死亡。

9. 心理护理

护士应了解病人服毒或染毒的原因，根据不同的心理特点进行心理疏导，以诚恳的态度为病人提供情感上的支持，认真做好家属的思想工作。

◆ 五、急性百草枯中毒病人的急救

百草枯（paraquat，PQ）又名克芜踪、对草快，是目前应用的除草剂之一，对人、牲畜有很强的毒性作用，在酸或中性溶液中稳定，接触土壤后迅速失活。百草枯可经胃肠道、皮肤和呼吸道吸收，我国报道中以口服中毒多见。

1. 病因与中毒机制

常为口服自杀或误服中毒，成年人口服致死量为2~6g。百草枯进入人体后，迅速分布到全身各器官组织，以肺和骨骼中浓度最高。中毒机制尚未完全明确。目前一般认为，百草枯作为一种电子受体，作用于细胞内的氧化—还原过程，导致细胞膜脂质过氧化，引起以肺部病变为主，类似于氧中毒损害的多脏器损害。

2.病情评估与判断

(1)中毒史 重点询问病人中毒的时间和经过，现场的急救措施、毒物侵入途径、服毒剂量及病人既往健康状况等。

(2)临床表现 病人的中毒表现与毒物摄入途径、速度、量及其基础健康状态有关，也有个体差异。百草枯中毒病人绝大多数是口服所致，且常表现为多脏器功能损伤或衰竭，其中肺的损害常见而突出。局部刺激反应包括：①皮肤接触部位发生接触性皮炎、皮肤灼伤，表现为暗红斑、水疱、溃疡。②高浓度药物污染指甲，指甲可出现脱色、断裂甚至脱落。③眼睛接触药物引起结膜、角膜灼伤，可形成溃疡。④经呼吸道吸入后，产生鼻、喉刺激症状和鼻出血。肺损伤是最严重和最突出的病变。小剂量中毒者早期可无呼吸系统症状，少数病人表现咳嗽、咳痰、胸闷、胸痛、呼吸困难、发绀及肺水肿。大剂量服毒者可在24~48 h内出现呼吸困难、发绀、肺水肿、肺出血，常在1~3 d内因急性呼吸窘迫综合征(ARDS)死亡。肺损伤者多于2~3周死于弥散性肺纤维化所致呼吸衰竭。口服中毒者有口腔、咽喉部烧灼感，舌、咽、食管及胃黏膜糜烂、溃疡，吞咽困难、恶心、呕吐、腹痛、腹泻，甚至出现呕血、便血、胃肠穿孔。部分病人于中毒后2~3 d出现中毒性肝病，表现为肝脏肿大、肝区疼痛、黄疸、肝功能异常。一些病人中毒后2~3 d可出现尿频、尿急、尿痛等膀胱刺激症状，尿常规、血肌酐和尿素氮异常，严重者发生急性肾衰竭。中枢神经系统表现有头痛、头晕、幻觉、抽搐、昏迷等。其他可能出现发热、心肌损害、纵隔及皮下气肿、贫血等。

(3)严重程度分型

①轻型：摄入量<20 mg/kg，无临床症状或仅有口腔黏膜糜烂、溃疡，可出现呕吐、腹泻。

②中-重型：摄入量20~40 mg/kg，部分病人可存活，但多数病人2~3周内死于呼吸衰竭。服后立即呕吐者，数小时内出现口腔和喉部溃疡、腹痛、腹泻，1~4 d内出现心动过速、低血压、肝损害、肾衰竭，1~2周内出现咳嗽、咯血、胸腔积液，随着肺纤维化出现，肺功能进行性恶化。

③暴发型：摄入量>40 mg/kg，多数在中毒1~4 d内死于多器官功能衰竭。口服后立即呕吐者，数小时到数天内出现口腔咽喉部溃疡、腹痛、腹泻、胰腺炎、中毒性心肌炎、肝肾衰竭、抽搐、昏迷甚至死亡。

(4)辅助检查 取病人尿液或血标本检测百草枯。血清百草枯检测有助于判断病情的严重程度和预后，血清百草枯浓度≥30 mg/L，预后不良。服毒6 h后尿液可测出百草枯。

3.急诊救治

目前百草枯中毒尚无特效解毒剂，应尽快在中毒早期控制病情发展，阻止肺纤维化的发生。

(1)现场急救 一经发现，即给予催吐并口服白陶土悬液，或者就地取材用泥浆水100~200 mL口服。

(2)减少毒物吸收 尽快脱去污染的衣物，清洗被污染的皮肤和毛发。洗胃、口服吸附剂、采取导泻等措施减少毒物的继续吸收。

(3)促进毒物排泄 除常规输液和应用利尿剂外，应在病人服毒后6~12 h内尽早进行血液灌流或血液透析，首选血液灌流，其对毒物的清除率是血液透析的5~7倍。

(4)防治肺损伤和肺纤维化 及早按医嘱给予自由基清除剂，如维生素C、维生素E、还原型谷胱甘肽、茶多酚等。早期大剂量应用肾上腺糖皮质激素,可延缓肺纤维化的发生,降低百草枯中毒的死亡率。中到重度中毒病人可使用环磷酰胺。

(5)对症与支持疗法 保护胃黏膜,保护肝、肾、心脏功能,防治肺水肿,积极控制感染。出现中毒性肝病、肾衰竭时提示预后差,应积极给予相应的治疗措施。

4.护理措施

(1)即刻护理措施 ①尽快脱去污染的衣物,用肥皂水彻底清洗被污染的皮肤、毛发,眼部受污染立即用流动清水冲洗,时间>15 min。②用碱性液体(如肥皂水)充分洗胃后,口服吸附剂(活性炭或白陶土)以减少毒物的吸收,继之用20%甘露醇(250 mL加等量水稀释)或33%硫酸镁溶液100 mL口服导泻,由于百草枯具有腐蚀性,洗胃时应避免动作过大导致食管或胃穿孔。③开放气道,保持呼吸道通畅。④遵医嘱给予心电、血压监护,密切监测病人的生命体征。

(2)血液灌流的护理 ①密切监测病人的生命体征,如有异常及时通知医生。②血液灌流中可能会出现血小板减少,密切注意病人有无出血倾向,如牙龈出血、便血、血尿、意识改变等,谨防颅内出血。③严格无菌操作,监测体温,预防感染。④妥善固定血管通路,防止脱管,观察敷料情况,定期给予换药。

(3)肺损伤的护理 监测血气分析指标,观察病人是否有呼吸困难、发绀等表现。一般不主张吸氧,以免加重肺损伤,故仅在$PaO_2<40$ mmHg或出现ARDS时可使用浓度>21%的氧气吸入,或使用呼气末正压通气(PEEP)给氧。肺损伤早期给予正压机械通气联合使用激素对百草枯中毒引起的难治性低氧血症病人具有重要意义。

(4)消化道的护理 除早期有消化道穿孔的病人外,均应给予流质饮食,保护消化道黏膜,防止食管粘连、缩窄。应用质子泵抑制剂保护消化道黏膜。

(5)口腔溃疡的护理 加强对口腔溃疡、炎症的护理,可应用冰硼散、珍珠粉等喷洒于口腔创面,促进愈合,降低感染几率。

⬥ 六、急性一氧化碳中毒病人的急救

一氧化碳(carbon monoxide,CO)为含碳物质不完全燃烧所产生的一种无色、无臭、无味和无刺激性的气体。过量吸入一氧化碳气体引起的中毒称一氧化碳中毒(carbon monoxide poisoning),俗称煤气中毒。

微课:急性一氧化碳中毒的救护

急性一氧化碳中毒的救护PPT

1.病因

(1)生活中毒 通风不良,家庭用煤炉、燃气热水器所产生的CO以及煤气泄漏或在密闭空调车内滞留时间过长等均可引起CO中毒。火灾现场空气中CO浓度可高达10%,也可引起CO中毒。

(2)工业中毒 炼钢、炼焦、烧窑、矿井放炮等过程中均可产生大量CO,如果炉门关闭不严、管道泄漏或通风不良,可发生CO中毒。煤矿瓦斯爆炸时亦有大量CO产生,容易发生CO中毒。

2.中毒机制

CO经呼吸道吸入进入血液系统后,立即与血红蛋白(hemoglobin,Hb)结合形成稳定的碳

氧血红蛋白(carboxyhemoglobin, COHb)。CO 与 Hb 的亲和力比氧与 Hb 的亲和力大 240 倍，而 COHb 的解离速度仅为氧合血红蛋白的 1/3600。COHb 不仅不能携带氧，而且还影响氧合血红蛋白的解离，阻碍氧的释放和传递，导致低氧血症，引起组织缺氧。CO 还可影响细胞内氧的弥散，抑制细胞呼吸。急性一氧化碳中毒导致脑缺氧后，脑血管麻痹扩张，脑容积增大。缺氧和脑血液循环障碍，可促使血栓形成、缺血性坏死或广泛的脱髓鞘病变，致使一部分急性一氧化碳中毒病人经假愈期后，又出现迟发性脑病。

3.病情评估

(1)中毒史　存在 CO 接触史。注意了解中毒时所处的环境、停留时间以及突发昏迷情况。

(2)临床表现　与空气中含氧量、CO 浓度、血中 COHb 浓度、暴露 CO 时间以及是否伴有其他有毒气体(如二氧化硫、二氯甲烷等)有关，也与病人中毒前的健康状况以及中毒时的体力活动有关。

①神经系统：1)中毒性脑病。急性一氧化碳中毒引起的大脑弥散性功能和器质性损害，出现不同程度的意识障碍、精神症状、抽搐、癫痫、偏瘫、单瘫、震颤等。2)脑水肿。意识障碍、呕吐、颈抵抗、视神经盘水肿等。3)脑疝，昏迷加深、呼吸不规则、瞳孔不等圆、光反应消失。4)皮肤自主神经营养障碍。少数重症病人在四肢、躯干出现红肿或大小不等的水泡并可连成片。5)急性一氧化碳中毒迟发脑病。病人神志清醒后，经过一段看似正常的假愈期(多为 2~3 周)后发生以痴呆、精神症状和锥体外系异常为主的神经系统疾病。表现为精神异常或意识障碍，呈痴呆、谵妄、木僵或去大脑皮质状态。锥体外系神经障碍出现震颤麻痹综合征，表现为表情淡漠、四肢肌张力增强、静止性震颤、前冲步态等。锥体系神经损害如偏瘫、病理征阳性或大小便失禁等。大脑皮质局灶性功能障碍，表现为失明、失语、不能站立或继发性癫痫。脑神经及周围神经损害，如视神经萎缩、听神经损害及周围神经病变等。

②呼吸系统：可出现急性肺水肿和急性呼吸窘迫综合征(ARDS)的表现。

③循环系统：少数病例可表现发生休克、心律失常，急性左心衰竭的发生率极低。

④泌尿系统：由于呕吐、摄入量不足、脱水、尿量减少和血压降低等因素可引起急性肾小管坏死和急性肾衰竭。

(3)辅助检查

①血液 COHb 定性法和定量法：定量检测血 COHb 浓度可信度高。

②实验室检查：血清酶学检查，例如磷酸肌酸酶(CPK)、乳酸脱氢酶(LDH)、谷草转氨酶(AST)、丙氨酸转氨酶(ALT)在一氧化碳中毒时可达到正常值的 10~100 倍。血清酶学异常增高与血气分析结合是诊断一氧化碳中毒的重要实验室指标。此外，重症病人应将肾功能检查作为常规检测项目。

4.病情严重程度评估与判断

(1)病情严重度

①轻度中毒：血液 COHb 浓度为 10%~20%。病人表现不同程度头痛、头晕、乏力、恶心、呕吐、心悸、四肢无力等。

②中度中毒：血液 COHb 浓度为 30%~40%。病人除上述症状外，可出现胸闷、呼吸困难、烦躁、幻觉、视物不清、判断力降低、运动失调、腱反射减弱、嗜睡、浅昏迷等，口唇黏膜可呈樱桃红色，瞳孔对光反射、角膜反射可迟钝。

③重度中毒：血液 COHb 浓度达 40%~60%。病人迅速出现昏迷、呼吸抑制、肺水肿、心律失常和心力衰竭，各种反射消失，可呈去大脑皮质状态。还可发生脑水肿伴惊厥、上消化道出血、吸入性肺炎等。

一氧化碳中毒病人若出现以下情况提示病情危重：①持续抽搐、昏迷达 8 h 以上；②$PaO_2<36$ mmHg，$PaCO_2>50$ mmHg；③昏迷，伴严重的心律失常或心力衰竭；④并发肺水肿。

（2）预后　轻度中毒可完全恢复。昏迷时间过长的重症病人多提示预后不良，但也有一些病人可以恢复。有迟发性脑病病人恢复较慢，有少数病人可留有持久性症状。对预后进行量化判定，可利用四项评分标准，格拉斯哥昏迷评分（GCS），Barthel 指数评分，简易智力状况检查评分（mini-mental state examination，MMSE）和改良的肌张力（Ashworth）评分。

5. 急诊救治

（1）现场急救　迅速将病人转移至空气清新处，松开衣领，保持呼吸道通畅，将昏迷病人摆成侧卧位，避免误吸呕吐物。给予高流量、高浓度的现场氧疗。

（2）急诊科救治　首先是高流量、高浓度氧疗和积极的支持治疗，包括气道管理、血压支持、稳定心血管系统、纠正酸碱平衡和水电解质平衡失调，合理脱水，纠正肺水肿和脑水肿，改善全身缺氧所致主要脏器（脑、心、肺、肾）功能失调。当严重低氧血症持续，经吸痰、吸氧等积极处理低氧血症不能改善时，应及时行气管插管。

6. 护理措施

（1）即刻护理措施　①保持呼吸道通畅，给予吸氧；②昏迷且高热和抽搐病人，降温和解痉的同时应注意保暖，防止自伤和坠伤；③开放静脉通路，按医嘱给予输液和药物治疗。

（2）氧疗　氧疗能加速血液 COHb 解离和一氧化碳排出，是治疗一氧化碳中毒最有效的方法。氧疗的原则是高流量、高浓度，病人脱离中毒现场后立即给氧。常压下鼻导管吸氧改善缺氧需要很长时间，与标准氧疗相比，高压氧治疗能增加血液中物理溶解氧含量，提高总体氧含量，缩短昏迷时间和病程，预防迟发性脑病发生。一般高压氧治疗每次 1~2 h，1~2 次/d。症状缓解和血液 COHb 浓度降至 5% 时可停止吸氧。

（3）"选择性脑部亚低温"治疗　通过颅脑降温进行脑部的选择性降温，使脑温迅速下降并维持在亚低温水平（33~35℃），肛温在 37.5℃ 左右。对昏迷病人可早期应用亚低温疗法，昏迷未清醒的病人亚低温持续 3~5 d，特别注意复温不宜过快。

（4）用药护理　中毒严重者，积极纠正缺氧，同时给予脱水疗法。遵医嘱给予 50% 葡萄糖溶液、20% 甘露醇或呋塞米。根据病人病情，参考其生命体征、神志、瞳孔、眼底变化和影像学变化，特别注意观察是否有过度脱水表现。此外，还可给予糖皮质激素、抗抽搐药物及促进脑细胞功能恢复的药物降低颅内压和恢复脑功能。

（5）病情观察　注意观察病人：①基本生命体征，尤其是呼吸和体温。高热和抽搐病人更应密切观察，防止坠床和自伤。②瞳孔大小、液体出入量及静脉滴速等，防治脑水肿、肺水肿及水、电解质代谢紊乱等并发症发生。③神经系统的表现及皮肤、肢体受压部位损害情况，如有无急性痴呆性木僵、癫痫、失语、惊厥、肢体瘫痪、压疮、皮肤水疱及破溃，防止受伤和皮肤损害。

（6）一般护理　病人发病早期就出现认知功能障碍，特别容易走失，应向家属交代可能发生的病情变化，避免意外。随着病情进展，病人大小便失禁，肌张力高，行动困难，此时家属和医护人员对其护理要特别重视。重症卧床病人应给予对症支持治疗,半卧位姿势,翻身拍背,避免食管胃内容物反流而引起吸入性肺炎和反复感染;肢体摆放恰当,避免肢体痉挛、挛缩和足下垂;进食困难者给予鼻饲饮食,计算出入量和热量。在康复医师指导下进行肢体被动性功能锻炼。

(7)健康教育　加强预防一氧化碳中毒的宣传。居室内火炉要安装管道、烟囱,其室内结构要严密,防止泄漏,室外结构要通风良好。不要在密闭空调车内滞留时间过长。厂矿使用煤气或产生煤气的车间、厂房要加强通风,配备一氧化碳浓度监测、报警设施。进入高浓度一氧化碳环境内执行紧急任务时,要戴好特制的一氧化碳防毒面具,系好安全带。出院时留有后遗症的病人,鼓励其继续治疗;痴呆或智力障碍病人,应嘱其家属悉心照顾,教会家属对病人进行语言和肢体锻炼的方法。

七、急性乙醇中毒病人的急救

乙醇,俗称酒精,无色、易燃、易挥发的液体,具有醇香气味,能与水或大多数有机溶剂混溶。一次过量饮入乙醇或酒类饮料引起兴奋继而抑制的状态称急性乙醇中毒(acute ethanol poisoning)或急性酒精中毒(acute alcohol poisoning)。

1.病因与中毒机制

(1)饮入过量酒类或酒类饮料是中毒的主要原因。乙醇吸收后迅速分布于全身,10%以原形从肺、肾排出,90%在肝脏代谢、分解。在肝脏内先后被转化为乙醛、乙酸后,最终代谢为二氧化碳和水。当过量酒精进入人体时,超过肝脏的氧化代谢能力,即在体内蓄积进入大脑。

(2)中毒机制

①抑制中枢神经系统功能:乙醇具有脂溶性,通过血脑屏障并作用于大脑神经细胞膜上的某些酶,影响细胞功能。乙醇对中枢神经系统的作用呈剂量依赖性。小剂量可产生兴奋效应。随着剂量增加,可依次抑制小脑、网状结构和延髓,引起共济失调、昏睡、昏迷、呼吸或循环衰竭。

②干扰代谢:乙醇经肝脏代谢生成的代谢产物可影响体内多种代谢过程,使乳酸增多、酮体蓄积,导致代谢性酸中毒以及糖异生受阻,引起低血糖症。

2.病情评估与判断

(1)中毒史　询问饮酒的种类、饮用的量、饮用的时间、饮酒时的心情、平时的饮酒量以及是否服用其他药物。

(2)临床表现　症状轻重与饮酒量、个体敏感性有关。小儿乙醇中毒后很快进入昏睡,甚至发生惊厥,也可发生高热、休克、吸入性肺炎和颅内压升高等;老年人如肝脏功能较差,症状较重,死亡率较高。乙醇的中毒大约可分为三期,各期的界限不明显。

①兴奋期　血乙醇浓度>50 mg/dL,有欣快感、兴奋、多语、情绪不稳、喜怒无常,可有粗鲁行为或攻击行为,也可沉默、孤僻,颜面潮红或苍白,呼出气带酒味。

②共济失调期　血乙醇浓度>150 mg/dL,表现为肌肉运动不协调,行动笨拙、步态不稳、言语含糊不清、眼球震颤、视物模糊、复视、恶心、呕吐、嗜睡等。

③昏迷期 血乙醇浓度>250 mg/dL,病人进入昏迷期,表现为昏睡、瞳孔散大、体温降低。血乙醇浓度>400 mg/dL 时,病人陷入深昏迷,心率快,血压下降,呼吸慢而有鼾音,并可出现呼吸、循环麻痹而危及生命。

（3）辅助检查

①血清乙醇浓度 呼出气中乙醇浓度与血清乙醇浓度相当。

②动脉血气分析 轻度代谢性酸中毒。

③血生化检查 低血钾、低血镁和低血钙。

④血糖浓度 低血糖症。

⑤心电图检查 酒精中毒性心肌病可见心律失常和心肌损害。

（4）预后 急性乙醇中毒多数预后良好。若有心、肺、肝、肾病变者,昏迷长达 10 h 以上,或血中乙醇浓度>400 mg/dL 者,预后较差。

3.急诊救治

轻症病人无需治疗,昏迷病人注意是否同时服用其他药物,重点是维持生命脏器的功能,严重急性中毒时可用血液透析促使体内乙醇排出。

4.护理措施

（1）即刻护理措施 ①保持气道通畅,吸氧,及时清除呕吐物及呼吸道分泌物,防止窒息,必要时配合给予气管插管、机械通气。②保暖,维持正常体温。③兴奋躁动病人应予适当约束,共济失调者严格限制其活动,以免发生意外损伤。

（2）催吐或洗胃 乙醇经胃肠道吸收极快,一般不需催吐或洗胃。如果病人摄入酒精量极大或同时服用其他药物时,应尽早洗胃。

（3）病情观察 ①观察病人生命体征、意识状态及瞳孔的变化;②监测心律失常和心肌损害的表现;③维持水、电解质和酸碱平衡;④低血糖是急性乙醇中毒最严重的一个并发症,密切监测血糖水平。

（4）血液透析 血乙醇浓度>500 mg/dl,伴有酸中毒或同时服用其他可疑药物者,及早行血液透析治疗。

（5）用药护理 ①纳洛酮:阿片受体拮抗剂,具有兴奋呼吸和催醒的作用。由于其作用持续时间短,用药时请注意维持药效,尽量减少中断,心功能不全和高血压病人慎用。②地西泮:对烦躁不安或过度兴奋者,禁用吗啡、氯丙嗪及苯巴比妥类镇静药,以免引起呼吸抑制。可遵医嘱应用小剂量地西泮,使用时注意推注速度宜慢,不宜与其他药物或溶液混合。

（6）健康教育 ①开展反对酗酒的宣传教育;②创造替代条件,加强文娱体育活动;③早期发现嗜酒者,早期戒酒,进行相关并发症的治疗和康复治疗。

八、急性镇静催眠药中毒病人的急救

镇静催眠药是中枢神经系统抑制药,具有镇静和催眠作用,小剂量可使人处于安静或嗜睡状态,大剂量可麻醉全身,包括延髓中枢。一次大剂量服用可引起急性镇静催眠药中毒。

1.病因

过量服用是镇静催眠药中毒的主要病因。

2. 中毒机制

(1)苯二氮䓬类 与苯二氮䓬受体结合后,加强 γ-氨基丁酸(GABA)与 GABA 受体结合的亲和力,使与 GABA 受体偶联的氯离子通道开放,增强 GABA 对突触后的抑制功能。

(2)巴比妥类 与苯二氮䓬类作用机制相似,但两者的作用部位不同。苯二氮䓬类主要选择性作用于边缘系统,影响情绪和记忆力。巴比妥类主要作用于网状结构上行激活系统而引起意识障碍。巴比妥类对中枢神经系统的抑制有剂量-效应关系,随着剂量的增加,其作用逐步表现为镇静、催眠、麻醉甚至延髓中枢麻痹。

(3)非巴比妥非苯二氮䓬类 其对中枢神经系统的作用机制与巴比妥类药物相似。

(4)吩噻嗪类 主要作用于网状结构,抑制中枢神经系统多巴胺受体,抑制脑干血管运动和呕吐反射、阻断 α 肾上腺素能受体、抗组胺、抗胆碱能等。

3. 病情评估

(1)中毒史 有可靠的应用镇静催眠药史,了解用药种类、剂量、服用时间、是否经常服用该药、服药前后是否有饮酒史以及病前有无情绪激动等。

(2)临床表现

①苯二氮䓬类中毒:中枢神经系统抑制较轻,主要表现为嗜睡、头晕、言语不清、意识模糊、共济失调。很少出现长时间深度昏迷、呼吸抑制、休克等严重症状。如果出现严重症状,应考虑是否同时合并其他药物中毒。

②巴比妥类中毒

1)轻度中毒:表现为嗜睡,注意力不集中、记忆力减退、言语不清,可唤醒,有判断力和定向力障碍,步态不稳,各种反射存在,体温、脉搏、呼吸、血压一般正常。

2)中度中毒:表现为昏睡或浅昏迷,腱反射消失、呼吸浅而慢、眼球震颤,血压可正常,角膜反射、咽反射仍存在。

3)重度中毒:表现为进行性中枢神经系统抑制,由嗜睡到深昏迷。呼吸浅慢甚至停止、血压下降甚至休克、体温不升、腱反射消失、肌张力下降、胃肠蠕动减慢、皮肤可起大疱,可并发肺炎、肺水肿、脑水肿、急性肾衰竭而威胁生命。

③非巴比妥非苯二氮䓬类中毒:临床表现与巴比妥类中毒相似,但各有其特点。

1)水合氯醛中毒:心、肝、肾损害,可有心律失常,局部刺激性,口服时胃部烧灼感。

2)格鲁米特中毒:意识障碍有周期性波动。有抗胆碱能神经症状,如瞳孔散大等。

3)甲喹酮中毒:有明显的呼吸抑制,出现锥体束征,如腱反射亢进、肌张力增强、抽搐等。

4)甲丙氨酯中毒:常有血压下降。

④吩噻嗪类中毒:最常见表现为锥体外系反应,如:1)震颤麻痹综合征;2)不能静坐;3)急性肌张力障碍反应,如斜颈、吞咽困难、牙关紧闭、喉痉挛等;4)可表现嗜睡、低血压、休克、心律失常、瞳孔散大、口干、尿潴留、肠蠕动减慢,甚至出现昏迷、呼吸抑制等,全身抽搐少见。

4. 病情判断

(1)病情危重指标 ①昏迷;②气道阻塞、呼吸衰竭;③休克、急性肾衰竭;④合并感染,如肺炎等。

(2)预后 轻度中毒无需治疗即可恢复;中度中毒经精心护理和适当治疗,在 24～48 h

大多可恢复；重度中毒病人可能需要 3~5 d 才能恢复意识。其病死率低于 5%。

5.救治原则

（1）维持昏迷病人重要器官功能 ①保持呼吸道通畅：深度昏迷病人应酌情予气管插管，呼吸机辅助通气。②维持正常血压：输液补充血容量，若无效，考虑给予血管活性药物。③心电监护：及时发现心律失常并酌情应用抗心律失常药物，密切监测血氧饱和度，及时发现低氧血症并予相应处理。④促进意识恢复：给予葡萄糖、维生素 B1 和纳洛酮等。纳洛酮0.4~0.8 mg 静脉注射，根据病情间隔 15 min 重复一次。

（2）迅速清除毒物 ①洗胃：口服中毒者早期用清水洗胃，服药量大者即使服药超过 6 h 仍需洗胃。②活性炭及导泻：活性炭对吸附各种镇静催眠药均有效，应用活性炭同时常给予硫酸钠导泻，一般不用硫酸镁导泻。③碱化尿液、利尿：可减少毒物在肾小管中的重吸收，使长效巴比妥类镇静催眠药的肾排泄量提高 5~9 倍，对吩噻嗪类中毒无效。④血液透析、血液灌流：对苯巴比妥和吩噻嗪类药物中毒有效，危重病人可考虑应用。对苯二氮䓬类无效。

（3）特效解毒剂 巴比妥类及吩噻嗪类中毒目前尚无特效解毒剂。氟马西尼是苯二氮䓬类特异性拮抗剂，能通过竞争性抑制苯二氮䓬类受体而阻断苯二氮䓬类药物的中枢神经系统作用。

（4）对症治疗 主要针对吩噻嗪类中毒，如呼吸抑制、昏迷、震颤麻痹综合征、肌肉痉挛及肌张力障碍、心律失常以及血流动力学不稳定等。

（5）治疗并发症 如肺炎、肝功能损害、急性肾衰竭等。

6.护理措施

（1）即刻护理措施 保持呼吸道通畅；仰卧位时头偏向一侧，防止呕吐物或痰液阻塞气道，及时吸出痰液，给予持续氧气吸入，防止脑组织因缺氧而加重脑水肿，给予心电监护，尽快建立静脉通路等。

（2）严密观察病情 ①意识状态和生命体征的观察：监测生命体征，观察病人意识状态、瞳孔大小、对光反应、角膜反射等。若瞳孔散大、血压下降、呼吸变浅或不规则，常提示病情恶化，及时向医生报告，采取紧急处理措施。②药物治疗的观察：遵医嘱静脉输液，密切观察药物作用、副作用及病人的反应，监测脏器功能变化，尽早防治各种并发症和脏器功能衰竭。

（3）饮食护理 昏迷时间超过 3~5 d，不易维持营养的病人，由鼻饲补充营养及水分。给予高热量、高蛋白易消化的流质饮食。

（4）心理护理和健康教育 对服药自杀的病人，不宜让其单独留在病房内，防止其再度自杀。向失眠者宣教导致睡眠紊乱的原因及避免失眠的常识。长期服用大量镇静催眠药的病人，包括长期服用苯巴比妥的癫痫病人，不能突然停药，应逐渐减量后停药。镇静催眠药处方的使用、保管应严加控制，特别是对情绪不稳定或精神不正常者，慎重用药。要防止对药物产生依赖。

第四节　严重创伤病人的救护

严重创伤是指危及生命或造成肢体残疾的创伤；或简明创伤分级法 M3；或多发伤损伤严重度评分 M16 的创伤。它常为多部位、多脏器的多发性损伤，伤情变化迅速，病情危重，常有生命危险，需紧急行救命手术或治疗的伤情，且治愈后留有严重残疾者。符合如下危及生命的条件之一项者即为危重伤：①收缩压<90 mmHg、P>120 次/min 和 R>30 次/min 或<12 次/min。②头、颈、胸、腹或腹股沟部穿透伤。③意识不清。④连枷胸。⑤腕或踝以上创伤性断肢。⑥两处或两处以上长骨骨折。⑦3 m 以上高空坠落伤。

一、多发伤病人的急诊救护

多发性创伤(multiple injuries)简称多发伤，是指在同一致伤因素作用下，人体同时或相继有 2 个以上的解剖部位或器官受到创伤，且其中至少有一处是可以危及生命的严重创伤，或并发创伤性休克者。多发伤需要与多处伤相区别，多处伤是指同一解剖部位或脏器发生 2 处或 2 处以上的创伤，如一个脏器有 3 处的裂伤，一个肢体有 2 处骨折。

知识点案例：
严重创伤病人的救护

多发伤的病因多种多样，平时多发伤以交通事故最常见，其次是高处坠落，还有挤压伤、刀伤、塌方等，发生率占全部创伤的 1%~1.8%，战时多发伤明显增加。

1. 临床特点

多发伤不是各部位创伤的简单叠加，而是伤情彼此掩盖、相互作用的症候群。

(1)伤情重且变化快，死亡率高　多发伤由于损伤范围广，涉及多部位、多脏器，每一部位的伤情重，创伤反应强烈持久，生理紊乱严重，甚至很快出现多器官功能不全或衰竭。因此，创伤早期病死率高。受伤的器官越多，死亡率越高。

(2)休克出现早且发生率高　多发伤损伤范围广，失血量大，休克出现早且发生率高，多为中、重度休克，并以低血容量性休克最常见，尤其是胸腹联合伤；后期以感染性休克最多见。

(3)低氧血症发生率高　多发伤早期低氧血症发生率可高达 90%，尤其是颅脑伤、胸部伤伴有休克或昏迷者，PaO_2 可降至 30~40 mmHg。严重创伤可直接导致或继发急性肺损伤，甚至急性呼吸窘迫综合征(acute respiratory distress syndrome，ARDS)。低氧血症可加重组织器官损伤和多系统器官功能障碍。部分病人缺氧表现不明显，而仅有烦躁不安，容易漏诊，如此时给予强镇痛剂，易发生呼吸停止。

(4)感染发生率高且严重　开放性损伤、消化道破裂或呼吸道等闭合性损伤一般均有污染，如污染严重，处理不及时或不当，加上免疫抑制，极易发生局部感染，严重者迅速扩散为全身感染。广泛软组织损伤、创道较深且污染较重者，还应注意合并厌氧菌感染的可能。创伤后感染致死者占后期死亡的 3/4 以上，可能与各种侵入性导管等有关。

(5)应激反应严重　由于神经-内分泌反应，机体处于高代谢、高动力循环、高血糖、负氮平衡状态，内环境严重紊乱。

（6）容易发生漏诊和误诊　多发伤受伤部位多，如果未能按抢救常规进行伤情判断和分类很容易造成漏诊。多发伤病人常是闭合伤与开放伤同时存在，易将注意力集中在开放性外伤或易于察觉的伤情上，而将隐蔽和深在的创伤漏诊；有些因耐受力强、意识障碍或早期症状不明显而被忽视，从而发生漏诊或误诊，漏诊率可达 12%～15%。

（7）多器官功能障碍发生率高　多发伤时各部位损伤严重，存在大量的坏死组织，可造成机体严重而持续的炎症反应，加之休克、应激、免疫功能紊乱及全身因素的作用，极易引起急性肾衰竭、ARDS、心力衰竭、多脏器功能衰竭等多种严重并发症。衰竭的脏器数目越多，死亡率越高。

（8）伤情复杂，处理矛盾多，治疗困难　有时两个部位的创伤都很严重，均需要立即处理，就会出现确定救治顺序的困难；如处理不当，会造成病情加重甚至死亡。

（9）并发症发生率高　应激性溃疡、凝血功能障碍和脂肪栓塞综合征等并发症发生率也明显增高。

2. 急救与护理

（1）急救原则和程序　多发伤病情一般都比较危重，其处理是否及时正确直接关系到伤病员的生命安全和功能恢复。创伤救护十分重要，特别是早期急救和护理，其目的是挽救生命，应优先解除危及伤病员生命的情况，使伤情得到初步控制，然后再进行后续处理。

多发伤抢救的基本程序：先按初级评估之首阶段评估 ABCDE 步骤进行伤情评估与判断，同时或然后按 VIPCO 程序进行抢救，再按次阶段 FGHI 步骤评估判断后，决定后续确定性治疗。VIPCO 抢救程序如下：

V（ventilation）：保持呼吸道通畅、通气和充分给氧。

I（infusion）：迅速建立 2～3 条静脉通道，保证输液、输血通畅及抗休克治疗。

P（pulsation）：通过心电和血压监测，及早发现和处理心跳、呼吸骤停和休克。

C（control bleeding）：控制出血，对于体表的活动性出血，最有效而暂时的止血方法是敷料加压包扎；对大血管损伤经压迫止血后应迅速进行手术止血；一旦明确胸或腹腔内存在活动性出血，应尽早手术探查止血。

O（operation）：急诊手术治疗，手术处理是严重多发伤治疗中的决定性措施，而且手术控制出血是最有效的复苏措施。对危重伤病员不允许做过多的检查，应抢在伤后的黄金时间（伤后 1 h）内尽早进行手术治疗。

（2）急救护理措施　对多发伤伤病员的抢救应遵循"先救命，后治伤"的原则，必须做到迅速、准确、有效。只有做到尽快准确评估与判断伤情、迅速有效现场救护、安全快速转送与途中急救、正确的急诊室救治、复苏与手术合理安排，才能挽救更多危重伤者的生命。

经现场急救被送到急诊室后，应尽快对其伤情进行再次判断、分类，以便把需做紧急手术和心肺监护的伤病员与一般伤病员区分开来，然后采取有针对性的措施进行正确救治。手术原则是应在抢救生命、保存脏器和肢体的前提下尽可能地保护功能。

①伤情常可简单地分为三类：1）第一类是致命性创伤，如危及生命的大出血、窒息、开放性或张力性气胸。应经短时的紧急复苏后，即行手术抢救。2）第二类是生命体征尚属平稳的伤病员，如尚未危及生命的锐器伤、火器伤或胸腹部伤，可密切观察或复苏 1～2 h 后手术，应争取时间做好备血、必要的检查及术前准备。3）第三类是潜在性创伤，性质尚未明确，是否需要手术要待严密观察和进一步检查明确诊断后决定。

②急救室救护包括常规救护措施、密切观察伤情变化和配合医生对各脏器损伤分别采取确定性治疗。其常规救护措施如下：

1)呼吸支持：保持呼吸道通畅，视病人病情给予或维持气管插管、人工呼吸、确保足够有效的氧供。

2)循环支持：主要是抗休克，复苏通气后，早期及时有效的体液复苏是组织能否得到有效灌注的基础。对已经建立静脉通道者，应继续保持输液通畅，一般情况下保证能在5~10 min内输入液体1000~1500 mL，输血200~400 mL，使病人的血压能迅速上升。如不通畅或补液速度不能满足需求，尽快用16~18G留置针迅速再建立1~2条静脉通道，并留置导尿观察每小时尿量。快速补充有效循环血量，按医嘱输晶体和胶体液，可加压输入平衡盐、右旋糖酐、血浆、全血等。高张盐液是创伤后现场、途中及急诊室救护中的一种比较理想的复苏液体。

3)控制出血：可在原包扎的外面再用敷料加压包扎，并抬高出血肢体。对活动性较大的出血应迅 速清创止血，对内脏大出血应立即手术处理。

4)镇静止痛：在不影响病情观察的情况下选用药物镇静止痛，以免剧烈疼痛诱发或加重休克。

5)防治感染：遵循无菌技术操作原则，按医嘱合理使用抗菌药物。开放性创伤需加用破伤风抗毒素。

6)密切观察伤情：严密观察伤情变化，特别是对严重创伤怀疑有潜在性损伤的病人，必须监测和进一步检查生命体征。发现病情变化，应及时报告医生处理。

7)支持治疗：主要是维持体液平衡，维护重要脏器功能和营养支持。

8)必要的心理危机干预有利于康复。

二、复合伤病人的急诊室救护

复合伤(combined injury)是指两种及两种以上的致伤因素同时或相继作用于人体所造成的损伤。可发生于战时或平时，如原子弹爆炸产生物理、化学、高温、放射等因子所引起的创伤。复合伤基本特点是常以一伤为主，复合伤中主要致伤因素在疾病的发生、发展中起着主导作用；伤情可被掩盖；机体所发生的损伤效应不是单一损伤的简单相加而多有复合效应使整体伤情变得更为复杂。

1. 分类与伤情特点

复合伤通常分为放射复合伤和非放射复合伤(烧伤复合伤、化学复合伤)两大类。

(1)放射复合伤(radiation combined injuries)　是指人体遭受放射损伤的同时或相继又受到一种或几种非放射性损伤(如创伤、烧伤、冲击伤等)。放射复合伤以放射损伤为主，多发生在核爆炸或核辐射时。其伤情特点为：①伤情轻重主要取决于辐射剂量：受照射剂量越大，伤情越严重、死亡率越高、存活时间越短。②病程具有初期(休克期)、假愈期(假缓期)、极期和恢复期分期的明显放射病特征。③具有放射损伤与烧伤、冲击伤的复合效应：整体损伤加重，表现为相互加重的复合效应，伤情恢复慢，死亡率高；休克和感染出现早，程度重，发生率增加；出血明显，胃肠道损伤和造血功能障碍明显且重。④创面伤口愈合延迟，并易发感染、出血、组织坏死，更严重甚至发生创面溃烂。

（2）烧伤复合伤（bum-blast combined injuries）　是指人体在遭受热能（如热辐射、热蒸汽、火焰等）损伤的同时或相继遭受到其他创伤所致的复合损伤。常见于各种意外爆炸（如瓦斯、火药或锅炉爆炸等）、电击和交通事故时，较常见的是烧伤合并冲击伤。其伤情特点为：①整体损伤加重：严重烧伤合并冲击伤时引起多种内脏损伤，两伤合并出现相互加重效应，使休克、感染发生率高、出现早、程度重，持续时间长。②心肺功能障碍明显。③肝、肾功能损伤乃至衰竭。④造血功能障碍。⑤合并其他器官功能障碍：如复合听力损伤、肺冲击伤、颅脑损伤等。

（3）化学复合伤（chemistry combined injuries）　是指机体遭受暴力作用的同时，又合并化学毒剂中毒或伤口直接染毒者。多见于战时使用化学毒剂；非战时见于化学毒剂的意外泄漏或排放时，最多见的是农药、强酸强碱、工业有害气体和溶剂。其伤情特点为：①伤情取决于创伤的严重程度、化学毒剂的毒性和对靶器官的损害。②毒剂经伤口进入机体，吸收会更快，中毒程度也明显加重，往往有复合效应。③毒剂种类不同，临床表现也各不相同。

2. 救护措施

（1）全面、迅速、准确地确定复合伤的类型、程度，仔细观察伤者的伤情，立即移至安全地带，迅速建立静脉通路，快速、正确地采取各种抢救措施。

（2）首先检查可危及伤者生命的一些情况，优先处理危及生命重要器官的损害。

（3）保持呼吸道通畅，对因吸入性损伤而致呼吸困难、窒息者，立即插入口咽通气导管或气管切开，给予人工呼吸。

（4）密切监测伤者的呼吸、心律、心率的变化，严防心衰、肺水肿的发生。

（5）各种复合伤的特殊救护

①放射复合伤：1）迅速去除致伤因素：彻底清除粉尘和异物，保持呼吸道通畅。2）早期抗辐射处理：对伤病员进行清洗消毒；胃肠道污染者可采取催吐、洗胃、导泻等方法进行抗辐射处理。3）创面、伤口的处理：首先去除病人体表的污染，包括衣服、体表和孔道的粉尘和剃光头发，如清水或漂白粉液清洗无破损的皮肤。有伤口者最好先进行放射性测定，去除毛发，用漂白粉液（禁用乙醇）或等渗盐水彻底清洗；然后进行清创，伤口通常延期缝合。4）手术时机：尽早在初期、假愈期进行，极期严禁手术，可延缓的手术应在恢复期实施。

②烧伤复合伤：1）对症处理：烧伤合并开放性损伤易并发感染，应及早作创面清创，早期应用抗生素和破伤风抗毒素预防各种感染。2）积极防治肺损伤。

③化学性复合伤：1）严密观察生命体征、意识、瞳孔及皮肤色泽的变化。2）首先处理危及生命的创伤，再处理毒物中毒。明确毒物种类后立即应用有效拮抗剂实施对症处理。3）清除毒物。

➡️ 三、意识障碍病人的急诊救护

意识障碍（disturbance of consciousness）系多种原因引起的机体对自身和外界环境的反应能力减弱或丧失，包括意识水平受损及意识内容的改变，是大脑功能紊乱所产生的严重症状之一。意识障碍是脑功能活动发生障碍的结果，可以是单纯的颅脑损伤，也可以是全身性疾病引起脑细胞缺血、缺氧或中毒，从而引起脑代谢障碍。

1.评估和判断

（1）健康史　评估中要特别注意起病的急缓，是一过性还是持续性，发病前是否有明显的刺激源，有无其他慢性疾病史，发病时有无伴随症状，入院前是否治疗用药及其效果等。

（2）身体状况　重点检查与意识有关的症状和体征，如生命体征、瞳孔、意识障碍的程度、皮肤变化、肢体活动及外伤情况等。

①意识障碍的程度：根据格拉斯哥昏迷评分（GCS），以睁眼动作、言语反应、运动反应综合评估（表3-4-1）。13~14分为轻度意识障碍；9~12分为中度意识障碍；3~8分为重度意识障碍。

表3-4-1　格拉斯哥昏迷评分表

睁眼反应	评分	言语反应	评分	运动反应	计分
自动睁眼	4	定向正常	5	能按指令动作	6
呼之睁眼	3	应答错误	4	对刺痛能定位	5
疼痛睁眼	2	言语错乱	3	对刺痛能躲避	4
不睁眼	1	言语难辨	2	刺痛肢体屈曲	3
		不语	1	刺痛肢体过伸	2
				无动作	1

②生命体征变化：意识障碍同时伴有生命体征的改变，如体温增高提示有感染性或炎症性疾患；体温过高可能为中暑、脑干损害；体温过低提示休克、甲状腺功能低下、低血糖、冻伤或镇静药过量。心律不齐可能伴有心脏疾患，脉搏微弱无力提示休克或内出血等；心率过快可能为休克、心力衰竭、高热或甲状腺功能亢进危象；心率过缓提示颅内压增高或阿-斯综合征。深而快的规律性呼吸常见于糖尿病酮症酸中毒；浅而快的规律性呼吸见于休克、心肺疾患或安眠药中毒引起的呼吸衰竭，大脑半球广泛损害常引起潮式呼吸，脑桥上部损害引起长吸式呼吸等。血压过高提示颅内压增高、高血压脑病或脑出血。血压过低可能为烧伤、脱水、休克、晕厥、安眠药中毒或深昏迷状态等。

③瞳孔的改变：双侧瞳孔缩小常见于有机磷农药中毒、巴比妥类和阿片类药物中毒、脑桥出血等；双侧瞳孔散大见于颠茄类、酒精、氧化物、一氧化碳中毒等；双侧瞳孔不等大或者忽大忽小，是脑疝的早期征象；双侧瞳孔散大固定为脑的不可逆性损伤；瞳孔对光反射不敏感提示昏迷。

④皮肤改变：皮肤巩膜黄染、蜘蛛痣可见于肝性脑病；发绀见于窒息、肺性脑病等；皮肤苍白见于休克、贫血、尿毒症、低血糖性昏迷等；潮红见于颠茄类及酒精中毒；皮肤湿冷见于低血糖昏迷、吗啡类药物中毒等。

⑤肢体活动：意识障碍伴颈项强直可能有中枢神经病变，如脑膜炎、蛛网膜下腔出血等；一侧偏瘫常见于脑血管意外；四肢无肌张力提示昏迷；伴四肢抽搐见于癫痫、脑出血、颅内肿瘤等。

（3）实验室及其他辅助检查

①实验室检查：血、尿、大便常规及血糖、电解质、血氨、血清酶、肝肾功能、血气分析等。

②特殊检查：心电图、脑电图、CT、MRI、B超、X线等。

③脑脊液检查：意识障碍的诊断及鉴别诊断均可提供有益的证据，尤其是对了解颅内压力改变、有无颅内感染及出血非常重要。

2. 心理、社会状况

严重的疾病打击会使病人及其家属忧虑、恐惧等。

3. 急诊救护

（1）分诊护理　根据上述评估结果判断给予分诊，呼叫相应专科会诊。若病人存在生命危险的应迅速送往急诊抢救室进行抢救。

（2）急救护理

①保持呼吸道通畅：昏迷病人安置平卧位，头偏向一侧；及时清理呼吸道分泌物；防止舌根后坠导致呼吸道堵塞；禁食，减少不必要的刺激；建立人工气道的病人做好气道管理等。持续给予氧气吸入。

②迅速建立静脉通道，根据医嘱合理用药，并注意输液速度和输液量。

③严密观察病情变化：每15～30 min监测生命体征变化，同时观察神志、瞳孔、肢体活动和颅内压等变化。

④对症护理：维持水、电解质和酸碱平衡；控制体温；保持肢体功能位，维持正常排泄功能，注意安全，防止坠床；预防肺部感染等。

⑤心理护理：与家属积极沟通，帮助病人及家属建立战胜疾病的信心。

◇ 四、呼吸困难病人的急诊救护

呼吸困难（dyspnea）又称为呼吸窘迫，指病人主观上感觉"空气不足"，客观上表现为呼吸频率、深度和节律的异常，严重时出现鼻翼翕动、发绀、端坐呼吸等。呼吸困难是急诊科常见急症之一，常见于呼吸系统和循环系统疾病，如肺栓塞、哮喘、气胸、急性呼吸窘迫综合征、心力衰竭等，其他系统疾病亦可累及呼吸功能而引起呼吸困难。严重呼吸困难如不进行紧急救治，会危及病人生命。

1. 评估和判断

（1）健康史　呼吸困难病人就诊时有明显的憋气或者持续的哮喘，可伴有鼻翼扇动、三凹征、发绀等临床表现，病人出现焦虑、烦躁以及恐惧感。因此，护理人员首先应该快速评估病人的病史以及诱发因素：急性左心衰竭常见于因忽然发作的夜间呼吸困难或体力劳动、大量快速补液，甚至神经刺激而诱发者；阻塞性肺疾病常见于因感染、运动或者体力活动后引起呼吸困难加重；支气管哮喘常因接触某种过敏物质或者感染诱发呼吸闲难；自发性气胸常因屏气用力、剧烈咳嗽、重体力活动等诱发进行性呼吸困难等。

（2）身体状况

①呼吸困难程度及性质：呼吸困难的程度分为轻度、中度和重度。1）轻度呼吸困难是指中重度体力活动引起的呼吸困难。2）轻度体力活动引起的呼吸困难为中度。3）休息时出现

的呼吸困难为重度。

呼吸困难的性质包括吸气性呼吸困难、呼气性呼吸困难和混合性呼吸困难。1）吸气性呼吸困难表现为吸气明显困难，几乎全部呼吸肌参与运动，可见三凹征，常伴有烦躁不安、干咳或者高调的吸气性喉鸣音。多见于喉头水肿、急性喉炎、气管异物、炎症、水肿、肿瘤、梗阻等。2）呼气性呼吸困难主要由于小支气管痉挛及肺组织弹性减弱所致，特点是呼气延长、费力，常伴有哮鸣音。多见于急性细支气管炎、支气管哮喘、慢性阻塞性肺疾病、肺气肿、肺心病等。3）混合性呼吸困难主要由于广泛性肺部病变，使呼吸面积减少，影响换气功能所致。特点是吸气和呼气均感困难，呼吸频率也有增加。多见于大量胸腔积液、重症肺炎、自发性气胸、大片肺不张及广泛性肺纤维化等。

②呼吸频率、节律的改变：每分钟超过 24 次为呼吸频率加快，见于发热、贫血等；每分钟少于 10 次为呼吸频率减慢，是呼吸中枢抑制的表现。呼吸加深，出现深而慢的呼吸，常见于糖尿病及尿毒症酸中毒。呼吸节律异常是中枢兴奋性降低的表现，反映病情严重。

③伴随症状：1）伴有高热，见于急性肺部感染、急性胸膜炎、肺脓肿、急性心包炎等。2）伴有胸痛，见于自发性气胸、大叶性肺炎、肺栓塞、急性心肌梗死、主动脉夹层等。3）发作性呼吸困难伴有窒息感，见于支气管哮喘、心源性哮喘、癔症等。4）产妇或手术后忽然出现呼吸困难伴发绀、休克等，见于肺羊水栓塞或肺栓塞。5）伴咯血，见于支气管扩张、空洞性肺结核等。6）伴大量粉红色泡沫痰，见于急性左心衰竭。7）伴昏迷，见于急性中毒、肺性脑病、代谢性酸中毒等。

（3）实验室及其他辅助检查

①血常规检查、血生化、血气分析检查有利于明确病因、呼吸困难的类型等。

②X 线或 CT 检查有助于心脏、肺脏、纵隔、颅内疾病的诊断。

③超声、心电图检查有利于心脏疾病、心律失常、瓣膜病等的诊断。

④肺功能检查可了解呼吸疾病对肺功能损害的性质及程度，明确肺功能障碍的机制和类型，对某些如慢性阻塞性疾病具有早期诊断价值。

（4）心理-社会状况　易怒、急躁、焦虑、精神极度紧张，伴有恐惧感。

2. 急诊救护

（1）分诊护理　对于呼吸困难者，急诊护士应首先采取措施，缓解呼吸困难。同时根据上述评估诊断给予分诊，呼叫相应专科医生。

（2）急救护理

①保持呼吸道通畅：及时清理气道内分泌物，病人一般可采取半坐位或坐位，身体前倾，减少不必要的活动和交谈。

②合理氧疗：根据病人呼吸困难类型，选择合理的氧疗方法、浓度以及氧流量。严重缺氧而无二氧化碳潴留病人可采用高流量、高浓度氧疗；缺氧伴二氧化碳潴留的病人采用低流量、低浓度氧疗。

③遵医嘱做好呼吸支持的护理。

④病情观察：监测生命体征和呼吸功能，观察氧疗效果，同时观察药物疗效和不良反应。

⑤对症处理：建立静脉通道，遵医嘱正确用药，做好相应的治疗配合和护理。

⑥心理护理：呼吸困难的病人因为发病紧急，主观上感觉呼吸费力和憋气，普遍存在恐惧心理，应观察病人的心理变化，给予恰当的心理支持。

➡ 五、腹痛病人的急诊救护

腹痛(abdominal pain)是急诊常见的症状之一。多数由腹部脏器疾病引起,也可由腹腔外疾病及全身疾病引起。腹痛病因复杂、发病急、变化快、病情重,因此急诊护士必须谨慎认真,准确处置。

1.评估判断

(1)健康史　病人的年龄、性别、婚育史、女性月经史等;腹痛的部位、性质、程度、伴随症状以及是否伴有放射痛等,急诊时的体位、神情、面色以及有无早期休克征象,同时了解病人既往有无腹痛病史、有无消化性溃疡、胆囊炎、胆石症、胰腺炎,有无糖尿病、心血管疾病、手术创伤史、药物过敏史及食物过敏史等。腹痛发作前有无明显的诱发因素:胆囊炎和胆石症发作前常有进食油腻食物史;急性胰腺炎发作前常有酗酒、暴饮暴食史;部分急性型肠梗阻与腹部手术有关;腹部受暴力作用引起的剧痛并有休克者,可能是肝、脾破裂所致。

(2)身体评估

①腹痛部位:腹痛最先出现或最显著的部位多为病变部位。如胃、十二指肠疾病、急性胰腺炎疼痛多在中上腹部;胆囊炎、胆石症、肝脓肿等疼痛多在右上腹;急性阑尾炎表现为右下腹的转移性腹痛;小肠疾病疼痛多在脐部或脐周;结肠疾病疼痛多在下腹部;膀胱炎、盆腔炎及异位妊娠疼痛亦在下腹部;卵巢滤泡破裂或黄体破裂的腹痛开始于右侧或左侧下腹部并伴有下坠感;弥散性或者位置不确定的疼痛见于急性弥散性腹膜炎、铅中毒、过敏性紫癜等。

②腹痛性质:腹痛性质大致可分为三种。1)持续性钝痛或隐痛:多为炎症性病变和出血性病变的持续性刺激所致,如阑尾炎、胰腺炎、肝脾破裂出血等,麻痹性肠梗阻以持续性胀痛为特征。2)阵发性绞痛:多为空腔脏器发生痉挛或阻塞性病变,如机械性肠梗阻、输尿管结石等。胆道蛔虫病常表现为间歇性剑突下"钻顶样"剧痛。3)持续性腹痛伴阵发性加重:多为炎症和梗阻并存,如肠梗阻发生绞窄、胆结石合并胆道感染。腹痛程度可反映腹内病变的轻重,但疼痛的个体敏感和耐受程度不同,有一定的个体差异。

③发作时间与体位的关系:炎症病变引起的腹痛进行性加重。突发腹痛、迅速恶化,多见于实质脏器破裂,空腔脏器穿孔、梗阻、绞窄或脏器扭转等。餐后痛多见于胆胰疾病、胃部肿瘤或消化不良;饥饿痛,发作呈周期性、节律性,见于胃窦、十二指肠溃疡;子宫内膜异位症病人腹痛与月经来潮有关;卵泡破裂者腹痛发生在月经中期。如果某些体位可使疼痛减轻或加剧,也是诊断的线索。如急性胰腺炎病人常喜蜷曲侧卧,不敢活动;胃黏膜脱垂病人左侧卧位可使疼痛减轻;反流性食管炎病人烧灼痛在躯体前倾时明显,直立位时减轻。

④伴随症状:腹痛伴发热、寒战者提示有炎症存在;伴黄疸者可能与胆系疾病或胰腺疾病有关;剧烈持续性腹痛伴有恶心、呕吐的女性,考虑卵巢囊肿扭转;伴休克,同时有贫血者可能是腹腔实质性脏器破裂,无贫血者可能是空腔脏器破裂、肠扭转等;伴血便可能是绞窄性肠梗阻、急性出血性坏死性肠炎及肠套叠。另外,一些腹腔外疾病,如急性心肌梗死、肺炎等也可有腹痛与休克的表现,应提高警惕。

⑤腹部检查:通过视、触、叩、听的方法观察病人有无腹部膨隆或凹陷;有无腹膜刺激征,腹部;压痛、肌紧张、反跳痛的部位、范围和程度;是否有移动性浊音;有无肠鸣音的改

变等。肠梗阻病人可见全腹膨胀，胃十二指肠、胆道穿孔时腹壁可呈"板状腹"，腹腔积液或积血时叩诊有移动性浊音。

（3）实验室及其他辅助检查

①实验室检查：白细胞计数检查可提示有无炎症和中毒。红细胞、血红蛋白、血细胞比容的连续观察可用以判断有无腹腔内出血。尿胆红素阳性提示存在梗阻性黄疸。疑有急性胰腺炎时，血、尿或腹腔穿刺液淀粉酶明显增高。

②X线检查：消化道穿孔或破裂可出现膈下游离气体。钡剂灌肠时，乙状结肠扭转梗阻部位可出现"鸟嘴形"征象；肠套叠空气灌肠后显示结肠"杯口"征。

③B超、CT检查：可用于肝、胆、胰、脾、肾、输尿管、阑尾及盆腔内病变的检查。对腹腔内出血和积液，可在B超引导下做腹腔穿刺抽液。

④内镜检查：消化道急性出血的判断，内镜是常用的方法。

⑤诊断性腹腔穿刺：包括腹腔穿刺和阴道后穹隆穿刺。对于闭合性腹部损伤采用此法协助诊断。当疑有盆腔内积脓、积血等病变，女性病人可经阴道后穹隆穿刺检查。

（4）心理-社会状况　急性腹痛因发病突然，疼痛剧烈，病人缺乏思想准备，担心治疗效果或预后不良，情绪急躁、焦虑。

（5）急救护理

①分诊护理　急性腹痛可由内科、外科、妇科多系统疾病引起，如不及时处理，可导致严重后果。如病人病情危重，一时难以确诊，应先救命，后分诊。

②急救护理

1）即刻护理：首先处理威胁生命的紧急问题。如腹痛伴有休克，及时补液纠正休克。如伴有呕吐，应头偏向一侧，避免呕吐物的误吸。对于病因明确的剧痛，可给予镇痛护理。

2）控制饮食与胃肠减压：对病情较轻的病人，可给流质饮食或半流质饮食，但需严格控制进食量。对病情严重者，禁食、禁水，以备手术所需。疑有空腔脏器穿孔、破裂，腹胀明显者放置胃肠减压。

3）纠正水、电解质紊乱和酸碱失衡：根据急腹症病人的全身情况，对病情严重者，应多输胶体液，以补充腹腔大量渗液所致的低蛋白血症。

4）合理应用抗生素：急腹症若为腹腔内炎症和脏器的穿孔所引起，多有感染，抗生素治疗。在尚未获得细菌培养和药敏试验结果的情况下，宜采用广谱抗生素，主张联合用药。等明确病原菌及其对抗生素的敏感情况，尽早实行针对性用药。对合并严重感染者，可加用肾上腺皮质激素。

5）密切观察病情：对未明确诊断的急腹症病人，进行严密观察，除观察体温、脉搏、呼吸、血压外，还应包括神态、面色、脱水程度、有无反应迟钝、皮肤苍白、出冷汗、烦躁不安等休克前兆症状的观察。观察病人有无出凝血时间延长，有无血压下降、出血、少尿、呼吸困难、发绀等，判断是否有并发弥散性血管内凝血（DIC）的前兆。

6）心理护理：稳定病人情绪，解除疼痛带来的恐惧、焦虑。尤其是剧烈疼痛的病人常有濒死感，护士在接诊时，应关怀、安慰病人。

7）休息：病人应卧床休息，无休克的急腹症病人可选择半坐卧位，使炎症局限，同时松弛腹肌、减轻疼痛以及改善呼吸。

8）做好术前准备：根据病情完成各种标本的送检，包括血常规、凝血时间、尿糖、血清电解质、肝肾功能等，皮肤准备、各种药物过敏试验、交叉配血试验和常规术前检查、术前用药等。

9）未确诊的急腹症病人遵循"五禁四抗"原则："五禁"即禁食、水，禁用止痛剂，禁用热敷，禁灌肠及使用泻剂，禁止活动；"四抗"即抗休克，抗感染，抗水、电解质和酸碱失衡，抗腹胀。在急腹症未明确诊断前，尤其应遵循以上原则。

◆ 六、胸痛病人的急诊救护

急性胸痛（acute chest pain）是指某种疾病引起的突发性胸部疼痛。急性胸痛是一些致命性疾病的主要临床表现，如急性冠状动脉综合征（acute coronary syndromes，ACS）、主动脉夹层、急性肺栓塞等。"胸痛中心"是一种医疗模式。急诊医护人员应具备对胸痛病人作出快速诊断和及时实施有效救治的基本素质，从而降低病死率。

1. 评估判断

（1）健康史　青壮年胸痛应注意结核性胸膜炎、自发性气胸、心肌炎、风湿性心脏病；40岁以上病人要注意心绞痛。了解与胸痛发生有关的情况，如有无外伤史、有无剧烈咳嗽、有无屏气的动作，有无过度疲劳，有无吞咽异物；了解以往有无胸痛发作的经历、发作情况，有无冠心病、肺、纵隔疾病史，有无食管炎、食管裂孔疝、溃疡病等消化系统疾病，有无肿瘤病史等。另外，胸痛发生常常与有些诱发因素有关，如心绞痛常因饱食、劳累、精神紧张、情绪激动而诱发；胸壁疾病所致的疼痛常于局部压迫或胸廓运动时加剧；主动脉夹层常见于长期高血压控制不佳，且伴或不伴动脉粥样硬化、心导管手术史者；主动脉瘤见于本人及家族成员中有马方综合征病史、梅毒病史者等。

（2）身体状况

①胸痛的部位及反射痛：位于胸骨后的胸痛，常提示是急性心肌梗死、主动脉夹层、食管疾病以及纵隔疾病等；以心前区为主要疼痛部位的胸痛则见于急性心包炎、肋间神经炎；胸部侧面的疼痛则往往发生于急性胸膜炎、急性肺栓塞、肋间肌炎；肝脏或膈下病变也可以表现为右侧胸痛；局限于心尖区或左乳头下方的胸痛多为神经症等引起的功能性胸痛等。与胸痛部位一样，放射疼痛部位也是重要的诊断线索。放射到颈部、下颌、左臂尺侧的胸痛往往是心脏缺血性胸痛的典型症状。放射到背部的胸痛可见于主动脉夹层、急性心肌梗死。放射到右肩的右胸痛常提示可能为肝胆或膈下的病变。

②疼痛性质：疼痛性质也具有一定的特征性，比如心脏缺血性胸痛，常表现为胸部压迫性、压榨性、重物压迫感。而刀割样锐痛常出现在心包炎、胸膜炎和肺栓塞等病人。主动脉夹层发生时多表现为突发的撕裂样剧痛。

③胸痛的时间：阵发性胸痛见于平滑肌痉挛或血管狭窄缺血，如心绞痛，胸痛呈阵发性，持续时间为 3~5 min；持续性胸痛见于炎症、肿瘤、血管栓塞、组织梗死等，如心肌梗死，胸痛持续时间从几十分钟到数小时，甚至数天以上。

④伴随症状：胸痛伴恶心、呕吐、大汗淋漓、晕厥等见于心肌梗死；有心脏杂音见于主动脉狭窄、心脏瓣膜病等；奇脉、颈静脉充盈、脉压减小、心包摩擦音见于心包炎；呼吸音消失、叩诊鼓音注意气胸；出现双上肢血压差值超过 30 mmHg 见于主动脉夹层；面色苍白、血压下降或休克表现，应考虑急性心肌梗死、动脉瘤破裂和大面积肺梗死等。

（3）实验室及其他辅助检查

①实验室检查：肌钙蛋白是心肌损伤最敏感的指标。肌酸激酶同工酶的测定对早期（小于 4 h）的急性心肌梗死有重要意义。

②心电图检查：大多数胸痛病人的心电图会有 ST 段压低或抬高，T 波低平、倒置或高尖，少数可无心电图异常表现。

③CT 主动脉造影：目前最常用的主动脉夹层与肺栓塞的确诊手段。

（4）心理-社会状况　因突然发病、症状重及手术风险、费用问题均会引起病人紧张、恐惧、烦躁、甚至绝望等情绪。

2.急诊救护

（1）分诊处理　对突发胸痛的危急状态，应立即置病人于安静环境，卧床休息，迅速给予吸氧、心电监护和建立静脉通道，并立即通知专科医生。

（2）急救护理

①针对原发病的治疗：1）对于 ACS 的病人，减少急性心肌梗死后心肌的坏死程度和范围，防止左心衰竭的发生，并积极配合溶栓治疗。2）对主动脉夹层的病人，应采取镇静和镇痛治疗，控制血压，给予负性心肌收缩力的药物，必要时外科手术治疗。3）对急性肺栓塞的病人，在循环支持基础上，以抗凝治疗为主，若为大面积肺栓塞病人，溶栓或行外科手术取栓治疗。

②活动与饮食：卧床休息，减少活动。若为心源性胸痛，应绝对卧床休息。饮食宜清淡、易消化、少食多餐，减少盐分的摄入，禁烟酒。

③减轻疼痛：观察胸痛的部位、性质、严重程度、持续时间和缓解因素。若病人出现胸痛伴有大汗淋漓、面色苍白、痛苦表情，甚至引起血流动力学障碍，可根据医嘱给予镇痛药物。

④密切监测心电、血压、呼吸和血氧饱和度，一旦脉搏、呼吸、血压发生变化，出现呼吸困难、循环衰竭症状，要立即采取抢救措施，以挽救病人生命。

⑤心理支持。

七、高热病人的急诊救护

由于多种不同原因致人体产热大于散热，使体温超过正常范围称为发热。当腋下体温超过 39.1℃时称为高热，持续高热对脑组织有严重损伤，可引起脑细胞不可逆性损坏，是临床常见急症之一。由于引起高热的原因复杂，病情变化快，护士需仔细分析，全面评估。

1.评估判断

（1）健康史　询问病人近期有无风寒，有无传染病接触史；有无手术、分娩、服药史；有无急慢性疾病；有无出血征象；有无各种创伤等；重点了解病人发病的时间、季节、发热的持续时间、发热的特点以及伴随症状等。

（2）身体状况

①发热程度判断：腋下温度 39.1~41℃为高热，腋下温度超过 41℃为超高热或高热危象，重者可出现呼吸、循环衰竭。

②发热过程及热型的判断：发热过程包括体温上升期和高热持续期，在体温上升期病人

多感疲倦、全身不适、肌肉酸痛、怕冷或寒战，临床上有两种形式：1）骤升型：体温迅速上升，常在1~2 h内达39~40℃，甚至更高，常伴寒战。多见于大叶性肺炎、急性肾盂肾炎、疟疾等。2）缓升型：体温逐渐上升，经数小时可达高峰，常见于伤寒、结核病等。高热持续期病人常自觉灼热，皮肤由苍白转为潮红，呼吸加快，临床常见的发热热型有稽留热、弛张热、间歇热和不规则热。

③发热病程的判断：急性发热起病急，病程在两周内，常见于上呼吸道感染、流行性感冒、扁桃体发炎、化脓性感染、非典型性肺炎、大叶性肺炎、流脑、乙脑、菌痢等。慢性发热疾病缓慢，持续两周以上的发热，常见于伤寒、败血症、胆道感染等。

④伴随症状：发热伴有呕吐、腹痛、腹泻可能为急性胃肠炎；伴黄疸可能是急性胆道感染；伴尿频、尿急、尿痛可能是尿路感染；伴皮疹可见于麻疹、猩红热、伤寒、风疹等；伴昏迷见于中枢神经系统感染；伴呼吸困难、咳嗽见于肺炎、胸膜炎等。

（3）实验室及其他辅助检查

①血常规：白细胞升高，中性粒细胞增加常提示细菌感染。厌氧菌或病毒感染大多白细胞下降，同时淋巴细胞升高。

②尿、便常规检查：可了解泌尿系统及消化系统的某些感染性疾病。

③X线胸片：用于肺部、纵隔的某些疾病诊断。

④B超检查：用于肝、胆、胰、子宫、附件、泌尿系统感染或者肿瘤等实质性脏器病变的诊断。

⑤根据病情选择血清免疫学检查、细菌培养、腰穿等检查。

（4）心理—社会状况 高热原因不明，病人及家属焦虑不安。

2.急诊救护

（1）分诊护理 根据上述评估给予分诊处理。分诊过程中若怀疑为传染性疾病，应做好隔离防护，同时注意地区、发病季节、接触史、预防接种史和当地的流行情况，必要时转入发热门诊。若发热伴有意识障碍、休克、惊厥（小儿）、心肌梗死等可能危及生命的病人，应予优先救治。

（2）急救护理

①卧床休息：遵医嘱进行退热、补液治疗，体温上升时注意保暖，下降时防止虚脱。

②营养支持：给予高热量、高蛋白的流质或半流质饮食，鼓励病人多饮水，或者静脉补充营养和水分。

③病情观察：监测体温变化、生命体征和意识，注意水、电解质和酸碱平衡，记录出入量。注意有无抽搐、休克、脱水情况发生。

④加强基础护理，预防并发症：对惊厥病人应采取必要措施防止其坠床等。

⑤遵医嘱指导病人留取所需标本，配合医生积极寻找病因，进行病因治疗。

⑥心理护理：安抚病人，满足合理需求。

第五节　急诊病人家属的护理

急诊科是抢救急危重症病人的场所，病人发病急、病情重、病情变化快，病人和家属对突如其来的改变缺乏心理准备，容易发生心理障碍。在治疗抢救过程中，家属常被隔离在急救室外，其生理、心理的需求易被忽视，导致护士、病人及家属三者之间缺乏有效协调与沟通。但是家属能够影响病人的治疗与康复，及时与病人家属沟通并取得其信任，有助于稳定病人情绪，保证医疗护理的顺利进行。因此，急诊护士在救治急诊病人的过程中，应重视对家属的照护，把握家属的需求，预防和缓解家属不良心理状态，使其更好地配合救治工作。

◇ 一、急诊病人家属的需求

1. 功能需求

功能需求是对急诊诊疗最基本的要求。急诊科的基本功能是满足病人在疾病急性发作、创伤甚至生命处于危险状态时的急诊急救诊疗需求。家属对急诊服务的核心功能要求是急诊急救的效果，包括诊疗过程是否便利及快捷；诊治与护理是否正确、合理、及时和有效等。

2. 形式需求

形式需求是指病人家属对急诊的服务方式、就医环境等方面的需求。由于医疗服务的特殊性，即使是同一病人的家属，对医院、诊疗、护理等方面的认知和选择也存在差别。这就要求护士要对不同的病人家属进行"个性化"护理，尽可能满足其对形式方面的合理需求。

3. 外延需求

外延需求是指急诊病人家属对急诊急救服务的附加要求，如在急诊诊疗过程中护士对其需求的关注，在尊重、热情、诚信、负责和心理支持等方面予以关注。

4. 价格需求

价格需求是指急诊病人家属将急诊医疗服务质量与价值进行比较后对价格的要求。价格需求应从质量与价格之比两方面进行分析：①在给定价格时，病人和家属对急诊医疗服务质量水平的需求。②在给定医疗服务质量时，病人和家属对价格水平的要求。在我国，病人家属通常希望医院能充分考虑病人的经济条件，从而提供适宜的诊疗技术。

◇ 二、急诊病人家属常见的心理问题

当病人突然患病且病情危急，或病情突然加重，家属往往在短时间内不能接受现实，情感遭受打击，有时可表现为焦虑、恐惧、冲动或烦躁等状态。

1. 焦虑

焦虑是急诊病人家属最显著、最主要的心理问题。焦虑是一种不愉快的情绪体验，并伴有自主神经系统的功能亢进。焦虑一般为短暂性的，可因适当刺激而出现或转移。由于急诊

病人家属对突发的威胁生命的事件缺乏心理准备，对医院环境、工作人员、就诊和治疗程序陌生，对病人病情缺乏全面认识，加之抢救过程中与病人相互隔离，抢救过程紧张忙碌，抢救结果不可预知，使家属出现焦虑，可表现为精神紧张、手足无措。

2. 忧虑

病人在家庭中担当重要角色，突发疾病或发生意外伤害会使家属担心失去收入来源和家庭依靠。当医护人员告知病情后，家属对病人的病情发展、预后或生命担心，可能不能控制自己的情绪，表现为过度哀伤、心理拒绝、自责和抱怨他人等。

3. 烦躁

当病人家属对急诊抢救工作缺乏了解，对医生护士的技术、救治过程存在疑虑，焦虑、悲伤或心理需求得不到关注时，加之文化程度和性格类型等因素的影响，可能就会难以控制情绪，表现为言行过激等。

三、护理措施

1. 执行专业的护理行为

在抢救过程中，急诊护士要表现沉着、有序，技能操作娴熟、专业知识扎实，果断冷静地处置突发事件。医疗器械及药品处于备用状态。在救治过程中，对病人病情发展、救治措施等及时向家属做出解释，缓解家属的紧张情绪，抢救完毕告知家属下一步诊治流程。让家属及时、动态、全面、客观地了解病人病情，减少不必要的疑虑和担心。

2. 加强与家属的沟通

急诊护士应善于应用各种沟通技巧，加强与病人及家属的沟通。首先，护士要态度亲切、大方得体、仪表端庄，给病人和家属留下良好的印象。其次，护士尽量采用家属能够理解的语言与其进行沟通，有共情心理，及时耐心解答家属所担心的问题，深入浅出地讲解必要的抢救知识以及可能出现的各种情况，让家属做好必要的心理准备。

3. 营造良好的环境氛围

良好的医疗环境可给病人和家属带来安全感，使家属在病人接受救治时保持良好的心理状态，积极参与病人的治疗和护理。注意保持就医环境安静、整洁。在条件允许的情况下，让家属有休息的场所并提供必备设施，减轻其疲劳不安，给予更多的人文关怀。及时向家属介绍急诊科的环境及将采取的治疗措施，使其尽快熟悉周围环境，稳定情绪。

4. 消除家属的不良心理反应，满足病人家属的合理要求

护士或辅助人员要为病人家属尽量提供帮助，如指引缴费、协助检查等。对合理但由于条件限制难以满足的要求，应向家属做好解释工作，争取得到对方谅解；对无法满足的要求，要耐心说服，不可急躁或置之不理，应以平等的态度交换意见。护士要学会容忍家属适当的宣泄，缓解心理压力，使其配合医护人员积极应对抢救工作。

家属是病人社会支持的最重要来源，家属的配合可直接影响急诊病人的心理，甚至影响病人的抢救及康复治疗。急诊病人家属具有更为复杂多样的需求，及时了解和准确把握其需求，有针对性地进行护理干预，将有助于帮助病人家属，为病人提供更好的社会支持，使病人在最佳的生理、心理状态下接受救治和护理，促进其早日康复。

思　考

1.病人，女性，48岁，午夜2时以胸部不适加重1小时为主诉，在丈夫陪同下到急诊科就诊。自述3天前在工地干活时，手推车曾撞击胸部，当时检查无异常。现在回家途中感到胸部疼痛难忍再次到急诊科就诊。

急诊分诊护士应对该病人进行哪些评估？

2.按预检分诊标准流程，以下病人的分诊级别分别是什么？为什么？

(1)病人，男性，85岁，病史不详，家人送来时意识模糊，呼吸微弱。

(2)病人，女性，62岁，既往有房颤病史，1小时前突发口齿含糊，左上肢肌力下降，送我院急诊。现神志清，T37℃，R15 次/分，BP 122/75 mmHg，SpO_2 98%。

第三章练习题

第四章

重症监护

第一节　ICU 的设置与管理

ICU(intensive care unit)即重症监护病房，始于 20 世纪 50 年代初，在我国也有 30 多年的历史了，现已成为二级以上医院中危重病人的抢救中心。ICU 的设立不仅是现代临床医学发展的需要，也是体现现代医院医护水平的重要标志，其规模应满足医院功能任务和实际收治危重症病人的需要。ICU 又被称为重症加强护理病房或深切治疗部，它是随着医疗和护理专业的发展、新型医疗设备的诞生和医院管理体制的改进而出现的一种集现代化医疗护理技术、生物医学工程技术为一体的医护管理模式，是对危重病病人进行集中而全面的动态监测、强化治疗和护理的特殊医疗场所。ICU 的基本任务是由经过专业培训的医护人员应用现代医学理论和知识，利用先进的医疗设备和各类器械，对危重病病人的生命器官进行反映其功能实质的各项参数的系统和动态监测，及时判断病情变化，迅速采用针对性的强化医疗和护理措施，必要时给予生命支持，防治多器官功能障碍综合征的发生，以度过生命不稳定状态，重建新的平衡，最大限度地挽救危重症病人生命。ICU 的工作实质就是脏器功能支持和原发病控制。

一、ICU 的分类及模式

目前，国内大型综合医院的 ICU 已具有相当的规模和现代化程度，不仅拥有综合 ICU，而且不断向专科 ICU 方向发展。ICU 的分类和运转模式主要根据医院的规模、条件和临床实际需求所决定。目前 ICU 大致可分为：

1. 综合 ICU

是一个独立的临床业务科室，受医务部直接管辖，收治来自各科室的危重病人。其优势在于克服了各专科分割以及专业知识、技术局限的缺陷，能充分体现现代医学整体序贯诊疗理论，有利于 ICU 学科建设和专业发展，便于充分发挥设备的综合效益。

2. 专科 ICU

专门为收治某个专科的危重病人而设立。一般是临床二级科室所设立 ICU，如心内科监护病房（cardiac care unit，CCU）、心脏外科重症监护病房（CICU）、呼吸内科监护病房（respiratory care unit，RCU）、神经外科监护病房（neurosurgical intensive care unit，NICU）、急诊重症监护病房（emergency intensive care unit，EICU）、新生儿监护病房（neonatal intensive care unit，NICU）等。一般隶属于某个专业科室管理，对抢救本专业的急危重病人有较丰富的经验。收治病种单一，不能接受其他专科危重病病人是其不足。

3. 部分综合 ICU

介于专科 ICU 与综合 ICU 之间，即由医院内较大的一级临床科室为基础组建的 ICU。如外科 ICU、内科 ICU、麻醉科 ICU、儿科 ICU 等，主要收治各专科或手术后危重病人。

➡ 二、ICU 的布局与设置

1. ICU 的布局

ICU 的布局应根据各医院等级高低、规模大小和功能不同等情况而定，可以有多种形式，其总体布局原则上应坐落于通道宽敞、电梯便利等方便病人院内、院外转运的区域；邻近主要服务对象的病区、急诊科、手术室、影像科、检验科、血库等，以便于病人紧急检查、治疗和手术等；周围环境相对安静，室内空间足够大，便于抢救治疗并减少病人之间的相互干扰；具备良好的通风、采光、消毒条件，以利于感染的控制；各区域的建筑装饰应遵循不产尘、不积尘、耐腐蚀、防潮防霉、防静电、防火、易清洁等原则。可设立医疗、医疗辅助、污物处理和医务人员生活辅助等相对独立区域，以减少彼此之间的相互干扰和有利于感染的控制。

（1）医疗区域　主要是病室，可分为开放式、半封闭或全封闭式。国内 ICU 目前以开敞式为主，隔离单间为辅，通常采用开敞式大间布置方式，病床之间的距离不小于 1.5 m。因 ICU 病室危重病人多，易发生交叉感染，加上遇有严重感染、具有传染性和服用免疫抑制剂等低抵抗力病人应与其他危重病人相对隔离，因此，ICU 病室应尽量多设单间或分隔式病房。至少配置 1~2 个单间病房，用于隔离病人，收治严重感染、传染病或病情危重病人；并设正、负压病室各 1 个。对于有开展器官移植手术的医院应设置百级空气洁净度的大单间。单间隔离 ICU、百级洁净 ICU、普通 ICU 病床之间应设围帘分隔，选用玻璃隔断分隔或应用闭路电视监护以方便观察病人。

（2）医疗辅助区域　ICU 医疗辅助用房需结合病房区的布置形式、医疗流程、洁净等级进行合理布置，平面流程应严格按照规范要求进行设计，病人须经换床后方可进入 ICU 监护病房；医护人员进入工作区，应采取强制性卫生通过。做到洁污分流，医患分流。医疗辅助区域包括中央工作站、通道、治疗室、配药室、仪器室、医护人员办公室、值班室、示教室、家属接待室、实验室、营养准备室和库房等。

①中央工作站：设在医疗区域的中央区域，以能够直接观察到所有病人为佳。病室以中央工作站为中心呈圆形、扇形或T形等排列，即ICU病室布置方式按床位与护士站的相互关系可分为单面式、双面式、三面式和环绕式4种。中心工作站内放置监护及记录仪，电子计算机及其他设备；也可以存放病历夹、医嘱本、治疗本、病情报告本及各种记录表格，是各种监测记录的场所。现代ICU普遍建立多参数中央监护系统，通过网络将各个床位病人的床旁监护仪所得到的各项监护波形和生理参数，同时集中显示在中央监护的大屏幕监视器上，使医务人员能对病人实施有效的实时监护。

②治疗室：至少设置两个。一个用于需要无菌技术操作的治疗和护理，进入前需戴好口罩和帽子；另一个用于只需要达到清洁要求的治疗和护理。

③出入通道：ICU要有合理的人员流动和物流在内的医疗流向，最好通过不同的进出通道将人员流动和物流分开，以减少各种干扰和交叉感染；并提供工作人员尽快接触病人的通道。有条件的医院可增设病人家属探视通道，家属可通过探视通道玻璃隔断直接向内探望，可降低ICU病房的感染率。无条件设探视通道的也可设闭路电视探视系统，每床均设视频装置，病人家属可通过视频电话与病人进行交流。

④仪器室：因ICU配置的仪器设备较多，有条件的ICU最好设置仪器室，供仪器设备放置和维护使用。

（3）污物处理区域　包括清洁室、污废物处理室和盥洗室等，设置在医疗区域的一端以避免污染医疗区域。

（4）医务人员生活区域　包括休息室、更衣室、进餐室等，与医疗区域相对隔开，避免交叉感染。

（5）有条件的ICU应根据需要设置示教室、家属接待室和实验室等其他辅助用房。医疗辅助区域与医疗区域面积之比应在1.5∶1以上。

2.ICU的设置

（1）病室设置

①床单位设置：ICU床位设置要根据医院规模、总床位数来确定。国内三级甲等综合性医院综合ICU床位数量应占全院总床位的2%~8%，全年床位使用率以75%为宜，超过85%时应适当增加床位数。每张床单位使用面积不少于9.5 m^2，建议15~18 m^2，床间距大于1 m。单间病室使用面积建议为18~25 m^2。应使用多功能床并配备防压疮床垫，每张床位配备完善的功能设备带或功能架，配置氧气、压缩空气和负压吸引插口各2~3个；电源插孔不应少于20个，并配有电源自动转换装置，每床的电源应是独立的反馈电路供应[ICU应有备用的不间断电力系统(UPS)和漏电保护装置]；配备床头灯和应急照明灯；床上天花板设置输液天轨及2~3个移动输液架；开放式的床两边设置用于隔离的床帘。

②手卫生设施：为减少交叉感染，必须设置洗手设施，开放式的每2床之间设置一套，单间每床一套。每套设备至少包括非接触式洗手池、洗手液和擦手纸，自来水开关最好具有自动感应功能，并备自动吹干机。每床旁应放置快速手消毒装置一套。

③室温、通风与噪声要求：病室空气调节系统要求独立控制，室温保持在(24±1.5)℃，湿度以55%~65%为宜。应有良好的通风和采光，有条件的ICU最好装配气流方向从上到下的空气净化系统。ICU地面、墙壁和天花板应尽量采用高吸音建筑材料，尽可能在不影响工

作的情况下,降低各种监护仪器的声音,将其白天的噪音控制在 45 dB 以下,夜晚在 20 dB 以下。

(2)仪器设备的设置　每个 ICU 单元必须常规配置应有仪器设备和完善的通讯系统、网络与临床信息管理系统,以保证其正常运行。因加强监护对象不同,病人病情分类的不同,不同的 ICU 应配备相应的常规仪器设备也有所不同。一般来说,ICU 的仪器设备应包括监测设备和治疗设备两种。

①监测设备:每床配备床旁监护系统,进行心电、血压、脉搏、血氧饱和度、体温、有创压力监测等基本生命体征监护。常用的监测设备有多功能生命体征监测仪、呼吸功能监测装置、血气分析仪、血流动力学监测设备、血氧饱和度监测仪及心电图机等。为便于安全转运病人,每个 ICU 至少配备一台便携式监护仪。当然,专科 ICU 还需配置针对专科病情变化和功能的监测设备,如心脏 ICU 需配置床旁心律失常监测与分析仪、床旁 ST 段监测与分析仪、持续性心排血量监测仪等。针对特殊病人或功能监测的特殊监测仪器,如颅内压监测仪、脑电双频指数监护仪、小型快速生化分析仪、乳酸分析仪、胃黏膜二氧化碳张力测定仪等。ICU 还应配备床旁超声、X 线、生化和细菌学等辅助检查设备。

②治疗设备:有各种注射泵(输液泵、微量注射泵、肠内营养输注泵)、呼吸气囊、面罩、各种呼吸机(三甲医院原则上每床配备一台呼吸机)、心脏除颤仪、心肺复苏抢救装备车(车上备有喉镜、气管导管、各种管道接头、急救药物以及其他抢救用具等)、纤维支气管镜、临时心脏起搏器、主动脉内球囊反搏和左心辅助循环装置、体外膜肺、血液净化装置、升降温设备、防止下肢深静脉血栓发生的反搏处理仪器等,以及小型手术设备和器械:手术灯、消毒用品、开胸/气管切开手术器械包、手术器械台等。

③人员编制　ICU 必须配备足够数量的受过专门培训,掌握重症医学的基本理念、基础知识和基本操作技术,具备独立工作能力的医护人员。医生人数与床位数之比应为 0.8∶1 以上,护士人数与床位数之比应为 2.5∶1 以上。此外,还需要配备适当数量的医疗辅助人员,有条件的医院还可配备相关的设备技术与维修人员。ICU 医护人员必须具有良好的职业素质、稳定的心理素质、敏锐的观察力和快速的应变能力;身体健康,具有较强的团队协助意识,能吃苦耐劳和胜任 ICU 高强度的医疗工作;更要具备以下基本业务水平。

1)ICU 医生业务要求

理论知识:掌握重要脏器和系统的相关生理、病理及病理生理学知识、ICU 相关的临床药理学知识和伦理学概念,掌握重要器官、系统功能监测和支持的理论等,考核合格。

专业技术:具有独立完成心肺复苏术、人工气道建立与管理、机械通气技术、深静脉及动脉置管技术、血流动力学监测技术、持续血液净化、颅内压监测技术和纤维支气管镜等技术。

2)ICU 护士业务要求

理论知识:掌握重要脏器和系统疾病的护理理论,熟悉重要脏器和系统的相关生理、病理及病理生理学知识、ICU 相关的临床药理学知识和伦理学概念等,考核合格。

专业技术:掌握各种监护仪器的使用、管理、监测参数和图像分析及其临床意义,熟悉重症监护的专业技术和危重症病人抢救配合技术,包括输液泵的临床应用和护理,各类导管和外科引流管的护理,给氧治疗、气道管理和人工呼吸机监护技术,循环血流动力学监测,心电监测及除颤技术,体液平衡监测技术,胸部物理治疗、营养支持和血液净化技术等。

三、ICU 病人的收治及转出

1. 收治原则

ICU 既要收治有救治价值的病人，同时又要避免浪费 ICU 资源。ICU 病人收治一般应遵循以下原则：

(1)急性、可逆、已经危及生命的器官或者系统功能障碍/衰竭，经过严密监护和强化治疗短期内可能得到恢复的病人。

(2)存在各种高危因素，随时有生命危险，经过加强监护和治疗可能降低死亡风险的病人。

(3)慢性器官或系统功能不全出现急性加重且危及生命，经过严密监护和治疗可能恢复到原来或接近原来状态的病人。

(4)慢性消耗性疾病及肿瘤的终末期病人、明确不可逆性疾病以及不能从加强监测治疗中获得益处的病人，一般不属于其收治范围。

2. 收治对象

ICU 收治范围包括临床各科的危重病人，主要包括：

(1)严重创伤、休克、感染和烧伤等引起的多系统器官功能障碍/衰竭病人。

(2)心肺脑复苏术后需对其功能进行较长时间支持者。

(3)严重的多发伤、复合伤病人。

(4)物理、化学因素导致的危急病症，如中毒、溺水、触电、虫蛇咬伤和中暑病人。

(5)有严重并发症的心肌梗死、严重的心律失常、急性心力衰竭、不稳定型心绞痛病人。

(6)各种术后危重症病人，高龄或合并较严重心肺脑等重要器官疾病，术后易发生意外的高危病人。

(7)严重水电解质、渗透压和酸碱失衡病人。

(8)各种原因导致的大出血、昏迷、抽搐、呼吸衰竭等各系统器官功能障碍需要支持者。

(9)严重的代谢障碍性疾病，如甲状腺、肾上腺和垂体等内分泌危象病人。

(10)大器官移植术后及其他需要加强监护治疗者。

3. 转出指征

ICU 病人经过严密监测、治疗和护理，达到以下条件时可转出 ICU：

(1)急性器官或系统功能障碍/衰竭已基本纠正，需要其他专科进一步诊断治疗。

(2)病情已稳定，不再需要继续加强监测治疗者。

(3)病情转入慢性状态。

(4)病人不能从继续加强监护治疗中获益。

四、ICU 的管理要求

1. 组织领导

综合 ICU 实行院长领导下的科主任负责制，而专科 ICU 实行专科主任领导下的 ICU 病室负责制。

（1）综合 ICU 主任/专科 ICU 负责人全面负责科内各项工作，包括主持定期查房、组织会诊和抢救任务等业务工作；建立独立的医疗团队，加强医务人员的业务培训，医生的配备采取固定与轮转相结合的形式。并设立一整套强化治疗手段。

（2）综合 ICU 应更多地听取专科医生的意见，把更多的原发病处理如创口换药等留给专科医生解决，专科疾病用药和处理及时与专科医生协作处理，针对疑难复杂病人多开展多学科讨论，以获得更符合实际病情的诊疗方案。并与专科医生共同做好医患沟通。

（3）护士长负责监护室的管理工作，包括安排护士工作，检查护理质量、监督医嘱执行情况及护理文书书写等工作，以及护士业务培训。护士是 ICU 的主体，负责对病人进行 24 h 监测、护理和治疗，能够最直接及时得到病人第一手临床资料。当病人病情突然改变时，要能准确及时地进行处理，并尽快报告医生。所以，ICU 护士应训练有素，熟练掌握各种抢救技术；更要有敏锐的病情观察能力，不怕苦、不怕累的奉献精神，要善于学习；要与医生密切配合，形成良好的医护关系，不断提高护理水平。

2. 管理制度

ICU 工作有序正常运行必须要有一系列管理制度来保障，ICU 应实行制度化管理。为保证工作质量和提高工作效率，ICU 除设立一般病房的医疗、护理常规和工作制度外，还应设置包括 ICU 转入转出制度、医疗护理质量控制制度，各种危重疾病监护常规，临床诊疗及医疗、护理操作常规，抢救设备操作、管理制度，抗生素使用制度，血液与血液制品使用制度，院内感染预防和控制制度，基数药品、毒麻药品和贵重、特殊药品等管理制度，医疗、护理不良事件防范与报告制度，医患沟通制度与探视制度，突发事件的应急预案和人员紧急召集制度；以及医护人员教学、培训和考核制度，临床医疗、护理科研开展与管理制度等。此外，ICU 是精密仪器比较集中的地方，每种设备都应建立档案，详细记录其使用、维修及保养情况，以保证各种抢救设施处于完好的备用状态。

五、ICU 的感染管理与控制

1. ICU 感染概述

由于 ICU 是危重病人集中的场所，病人病情重、机体免疫功能低下，加之各种侵入性操作和治疗措施多，多重耐药菌在 ICU 常驻，严重创伤病人局部组织损伤严重，长时间抗菌药物以及激素使用等因素使病人容易产生耐药菌，并引起肠内菌群失衡，而且，住院时间长，病情容易反复发展，从而极易发生医院感染。因而，ICU 感染一直是院内感染的高发区，做好 ICU 的感染管理与控制工作是临床抢救与治疗成功的关键。

（1）感染的分类

①内源性感染：又称自身感染，指引起感染的病原体来源于病人本身，是病人体表或体内的正常菌群或条件致病菌在机体抵抗力下降或受外界因素影响时，成为致病菌而引起机体感染。

②外源性感染：又称交叉感染，通常是指病原体来源于病人体外，如其他病人或医院中工作人员、医院环境中存在的细菌以及未彻底消毒灭菌或受污染的医疗器械、医疗用品、血液制品及生物制品等。

（2）常见的病原菌 引起 ICU 医院感染的病原微生物包括细菌、真菌、支原体、衣原体和病毒等，以条件致病菌为主，且多为多重耐药菌株。革兰阳性菌是引起医院感染常见的病原菌之一，其中最常见的是葡萄球菌、肠球菌与链球菌，手术和创伤部位感染多属于此类细菌。革兰阴性菌是危重症病人发生泌尿系统感染的主要细菌，这些病原菌主要为直肠与尿道的常驻菌，包括大肠埃希菌、铜绿假单胞菌及变形杆菌等；呼吸系统感染中还可见克雷伯杆菌、流感嗜血杆菌等。近年来真菌感染比例明显升高，以念珠菌属最为常见，少数为曲霉菌属。目前，有研究指出 ICU 住院病人医院感染病原菌的分布以革兰阴性菌和真菌为主，革兰阳性菌有所减少，由于新型及广谱抗生素的广泛应用，病原菌对临床常用抗菌药物均有不同程度的耐药性，多药耐药呈增加趋势。因而，如何降低 ICU 医院感染发生率，减少 ICU 医院感染病原菌的增加，合理使用抗菌药物是医院感染工作的重要内容。

（3）常见感染部位 ICU 病人常见感染部位依次是下呼吸道、泌尿系统、血液、消化道和伤口感染。不同的 ICU 病人感染部位有所不同，如外科 ICU 感染以泌尿道、手术部位、呼吸道、血液感染居多；而内科 ICU 则以呼吸道、泌尿道、血液感染最常见。

（4）感染的主要原因

①机体抵抗力减弱：ICU 收治大多为严重创伤、大手术、休克、器官移植以及严重的心、肺、脑、肾疾病等危重症病人，病情重，除原发性损伤或疾病外，营养不良、大量蛋白质丢失、长期应用免疫抑制剂、皮质激素等因素，均可导致病人机体免疫功能低下，极易发生院内感染。此外，老年人、婴幼儿、长期卧床以及有吸烟、酗酒等不良生活习惯的病人其免疫功能也会下降。

②机体解剖屏障受损：严重创伤、空腔脏器梗阻、组织坏死、穿孔等可导致机体皮肤和黏膜的解剖屏障严重受损，防御屏障机制减弱；低血压休克、胃肠缺血再灌注及长时间的禁食或肠外营养支持等情况下，胃肠黏膜保护屏障功能受损；还有长时间卧床引起压力性溃疡，导致皮肤破损，均易继发感染。

③侵入性操作多：ICU 重症病人各种有创监测、治疗多而频繁，如气管插管、各种动静脉置管、留置尿管、各种引流管等侵入性操作，造成皮肤黏膜损伤，为病原菌提供了繁殖基地，容易引起菌血症等各种感染。

④ICU 有不同部位、不同种类感染的危重病人聚集，极易发生交叉感染。

⑤抗生素应用不合理：合理地应用抗生素是预防医院感染的重要因素。大量应用抗生素可造成菌群失调与耐药菌株生长与繁殖，从而导致严重的二重感染，给治疗造成极大困难。

⑥病原体的医源性传播：主要通过医护人员的手接触性传播，若医护人员无菌观念淡薄、无菌操作不严格，未严格执行手卫生规范，均可使 ICU 感染因素和传播媒介增加，致交叉感染率升高。此外，如果医疗设备消毒与灭菌不彻底，空气、物体表面、血液制品、药品被污染，以及因 ICU 空间狭小、污染区和清洁区划分不明确、无缓冲间等造成的环境污染，也可成为重要的感染源。

2.ICU 控制感染的管理措施

危重症病人是医院感染的高发人群，而医院感染也是危重症病人最常见、最严重的并发症之一。预防与控制医院感染是保障危重症病人安全的重要措施。

（1）工作人员管理

①限制人员出入：ICU 内空气污染最严重的区域多为入口处和走道，特别是医生查房和护士交班以及家属探视时间更为严重，因此，应将进出 ICU 的医护和探视人员减少到最低限度。

②严格更衣、换鞋制度：医护人员进入 ICU 要更换专用工作服、换鞋、戴口罩、洗手，外出时必须更衣或穿外出衣。接触耐甲氧西林金黄色葡萄球菌（MRSA）感染或携带者等特殊病人，或处置可能有血液、体液、分泌物、排泄物喷溅的病人时，应穿隔离衣或防护围裙。接触疑似为高传染性的感染如禽流感、非典型肺炎（SARS）等病人，应戴 N95 口罩。

③正确使用手套：医护人员接触病人黏膜和非完整皮肤，或进行无菌操作时，须戴无菌手套；接触血液、体液、分泌物、排泄物，或处理被它们污染的物品时，戴清洁手套。护理病人后要摘手套，护理不同病人或医护操作在同一病人的污染部位移位到清洁部位时要更换手套。特殊情况下如手部有伤口、给 HIV/AIDS 病人进行高危操作时，均应戴双层手套。

④严格执行手卫生规范：接触病人前后进行清洁、侵入性操作前、接触病人体液或分泌物后、接触病人使用过的物品后都应进行手卫生。当手上有血迹或分泌物等明显污染时，必须洗手。摘掉手套之后、医护操作在同一病人的污染部位移位到清洁部位时，也必须进行手卫生。

⑤每年必须接受医院感染控制知识培训。

（2）病人管理

①妥善安置病人：应将感染病人与非感染病人分开安置，对同类感染病人相对集中，对疑似有传染性的特殊感染或重症感染，应隔离于单独房间，以避免交叉感染。对于空气传播的感染，如开放性肺结核，应隔离于负压病房；接受器官移植等免疫功能明显受损病人，应安置于正压病房；对于重症感染、多重耐药菌感染或携带者和其他特殊感染病人，建议分组护理，固定人员。医务人员不可同时照顾正、负压隔离室病人。

②预防控制感染措施：重视病人的口腔卫生。对于引流液、伤口分泌物及呼吸机使用者的痰液应定期做培养，有创导管拔除后疑有感染时应做细菌培养及药敏试验，以便及早发现感染并及时治疗。限制预防性应用抗生素，感染性疾病根据细菌培养与药敏试验结果合理应用抗生素。创伤性治疗与监测如病情好转后应尽早终止。

（3）探视管理　探视人员应按医院规定的时间探视，尽量减少不必要的探视。有疑似或证实呼吸道感染症状者、学龄前儿童禁止进入 ICU 探视。探视者进入 ICU 前穿隔离衣、戴口罩、穿鞋套；进入病室前后应洗手或用快速手消毒液消毒双手；探视期间尽量避免触摸病人及周围物体表面。对于疑似有高传染性的感染病人应避免探视。

（4）环境管理　定期对病室进行彻底清洁和消毒，开窗通风、机械通风是保持 ICU 室内空气流通、降低空气微生物密度的最好方法。ICU 的墙面和门窗应保持清洁和无尘，室内应采用湿式清扫。每天用清水或清洁剂湿式拖擦地面，拖把做标记分开使用。多重耐药菌流行或有院内感染暴发的 ICU，必须每日用消毒剂消毒地面一次。禁止在病室、走廊清点更换衣被。治疗室、处置室清洁整齐，每日进行空气消毒，每月有空气培养记录。

（5）物品管理　诊疗、护理病人过程中所使用的监护仪等非一次性物品均按照使用规范和院内感染管理要求进行清洁、消毒或灭菌处理，尤其是频繁接触的物体表面，如仪器的按钮、操作面板，应每天用75%酒精仔细消毒擦拭。规范一次性物品的使用，尽量采用一次性呼吸机管路，每日更换氧气湿化瓶。各种仪器在更换使用者时应进行表面消毒，病床、台面及病人的生活用品等定期擦拭消毒。病人转出ICU后，床单位进行终末消毒处理，特殊感染病人用品应分开处理。

（6）医疗操作流程管理　进行各项医疗护理操作时，必须严格遵循无菌技术原则。保持引流管通畅，引流应保持密闭性。减少因频繁更换引流管而导致污染的机会。每日对留置的导管情况进行评估，尽早拔管。做好口腔护理、声门下分泌物吸引和呼吸机管道护理，预防呼吸机相关性肺炎的发生。

（7）废物与排泄物管理　处理废物与排泄物时医护人员应做好自我防护，防止体液接触暴露和锐器伤。医疗废物按照《医疗废物分类目录》要求分类放置、规范化处理。

（8）监测与监督　应常规监测ICU医院内感染发病率、感染类型、常见病原体和耐药状况等，尤其是中心静脉导管、气管插管和留置导尿管的相关感染。加强医院内感染耐药菌监测，发现疑似感染病人，及时进行微生物检验和药敏试验。医院内感染管理人员应定期监督各项感染控制措施的落实，早期识别院内感染暴发和实施有效的干预措施。

第二节　心血管系统功能监护

循环系统功能监测主要反映心血管系统的功能状况，包括心脏、血管、血液、组织氧的供应与消耗及心脏电生理等方面的功能指标，为临床危重症病人的病情观察、临床救治与护理工作提供重要依据。心血管系统功能监测一般可分为无创血流动力学监测和有创血流动力学监测两类。

一、无创血流动力学监测

无创血流动力学监测是应用对组织器官没有机械性损伤的方法，经皮肤或黏膜等途径间接测出各项心血管功能的各项指标，使用安全方便，病人易于接受。

知识点案例：
心血管系统功能监护

1. 心率监测

心率（heart rate，HR）可通过心电监护仪器上的心率视听装置和脉搏搏动获得数据，显示为监护仪屏幕上的心率数值。正常成人安静时心率在60～100次/min，随着年龄增长而变化。

（1）心率监测的意义

①判断心排血量：心率对心排血量影响很大，通过心率监测可判断心排血量，心排血量等于每搏输出量与心率的乘积。

②计算休克指数：失血性休克时，心率的改变最为敏感，早期监测心率的动态改变对发现失血极为重要。休克指数=HR/SBP。血容量正常时，休克指数是0.5；休克指数是1时，提示失血量占血容量的20%～30%；休克指数大于1时，提示失血量占血容量的30%～50%。

③估计心肌耗氧量：心率与心肌耗氧量的关系极为密切。心肌耗氧量与心率的快慢成正

相关,心肌耗氧量=心率×收缩压,正常值应小于12000,若大于12000提示心肌耗氧量增加。

(2)心率监测仪器的种类　有床边、中心心电监护仪和遥控心电监护仪。

2. 心电图监测

心电图(electrocardiography,ECG)监测是通过显示屏连续观察监测心脏电生理活动情况的一种无创监测方法,可实时观察病情,提供可靠有价值的心电活动指标,对处理各种心率异常与心律失常具有重要的临床指导意义。

(1)临床意义

①持续监测心率、心律变化,及时发现各种心律失常。

②观察心电波形变化,诊断心肌损害、心肌缺血及电解质紊乱。

③指导临床抗心律失常与其他影响心电活动治疗用药的依据。

④急诊、ICU、手术室等急危重症病人的心电监护。

⑤观察起搏器的功能。

(2)心电图监测分类

①12导联或18导联心电图:利用心电图机进行描记而获得的心电图,12导联心电图有3个标准肢体导联是Ⅰ、Ⅱ及Ⅲ导联;3个加压肢体导联是aVR、aVL和aVF导联;6个胸导联是V1、V2、V3、V4、V5、V6导联。18导联心电图是在12导联心电图基础上增加了6个胸导联,是V3R、V4R、V5R、V7、V8、V9导联。

②动态心电图:连续进行24~48 h的动态心电图监测,常用于心肌缺血的诊断、评估和心律失常监测。其心电异常只能通过回顾性分析,不能反映出即时的心电图变化,临床上不能用于危重症病人连续、实时的心电图监测。

③心电示波监测:ICU最常用的心电图监测方法,通过心电监护仪连续、动态监测心电图的变化,对即时发现心电图异常起着非常重要的作用。由中心监护仪与多台床旁心电监护仪、计算机、打印机及心电图分析仪等构成心电监护系统。

(3)标准心电导联电极放置点

①标准肢体导联:Ⅰ导联为左上肢(+),右上肢(-);Ⅱ导联为左上肢(+),右上肢(-);Ⅲ导联为左下肢(+),左上肢(-)。属于双电极导联。

②加压肢体导联:aVR、aVL与aVF导联探查电极分别置于右腕部、左腕部及左足部。属于单极导联。

③胸前导联:导联V1电极置于胸骨右缘第4肋间,V2置于胸骨左缘第4肋间,V4置于左侧锁骨中线与第5肋间相交处,V3导联电极位于V2与V4的中点,V5位于左侧腋前线与V4同一水平,V6位于左腋中线与V4、V5同一水平,V7位于左腋后线与第5肋间相交处,V8位于左肩胛线与第5肋间相交处,V9位于第5肋间同水平脊柱左缘,V4R位于右锁骨中线与第5肋间相交处,V3R在V1与V4R的中点,V5R位于右腋后线与第5肋间相交处。属于单极导联。

(4)监护仪导联电极放置位置　相对于标准心电图导联而言,监护导联是一种模拟的、综合的导联形式。常用的心电监护仪有3个电极、4个电极、5个电极3种类型。每种电极都标有电极放置示意图,可具体参照执行。

3.血压监测

血压是血管内血液对于单位面积血管壁产生的侧压力,可以反映心排血量和外周血管阻力,是衡量循环系统功能的重要指标。成人安静时血压的正常值 $90 \sim 120/60 \sim 90$ mmHg,白天的血压比夜间高。

(1)临床意义

①实时反映心排血量、外周血管阻力、血容量的变化。

②指导急诊情况下创伤、出血休克等疾病的判断。

③观察血压的动态变化,指导临床用药,为治疗及护理提供临床依据。

④急诊、ICU、手术室等急危重症病人的床边血压监护。

(2)血压监测仪器的种类　无创性动脉血压测量方法根据袖带充气方式的不同,可分为手动测量法和电子自动测量法。

①手动测量法:包括水银汞柱式血压计及气压表式血压计测量法。

②自动测量法:包括臂式血压计、腕式血压计、手指式血压计及床边心电监测仪式血压计4种测量方法。

(3)影响因素　包括心排血量、循环血容量、周围血管阻力、血管壁的弹性和血液黏滞度5个方面,血压袖带缠得过松或过紧、袖带过长或过短,手臂高度与心脏是否平行也会影响血压。

4.心排血量监测

心排出量(cardio output,CO)是指一侧心室每分钟射出的血液总量。CO 是反映心脏泵血功能的重要指标,对评价心功能、补液与药物治疗均具有重要意义。正常人左右心室的射血量基本相等。

(1)胸腔电生物阻抗法(thoracic electrical bioimpedance,TEB)是采用生物电阻抗技术测量每个心动周期胸腔电阻抗值的变化,其改变主要与心脏、大血管血流的容积密切相关。通过公式计算可以得出 CO 的数值。可与计算机相连动态地监测 CO 的变化,该方法操作简单,使用安全,可长时间连续监测,已成为一种实用的无创心功能监测方法。

(2)多普勒心排血量监测　是通过多普勒超声技术测量红细胞的移动速度来计算主动脉血流,计算出 CO,实现连续性的 CO 监测。根据超声探头放置位置不同,可分为经食管和经气管两种途径。

5.血氧饱和度(SpO_2)监测

可用多功能心电监护仪进行监测。

二、有创血流动力学监测

有创血流动力学监测是指经体表插入各种导管或监测探头进入动脉、静脉或心脏内,然后将导管与压力换能器相接,将压力转换成电信号,利用监护仪或监测装置直接测定心血管系统的各项功能指标。

1.动脉血压监测

有创动脉血压(arterial blood pressure,ABP)监测是将动脉导管置入动脉内,通过压力监测仪器进行实时连续的动脉内测压的方法。可反映每一心动周期的收缩压、舒张压和平均动脉压,通过动脉压波形与压力升高速率初步评估心脏功能。

(1)适应证　用于休克、重症疾病、严重的周围血管收缩、大手术或有生命危险手术病人的术中和术后监护、其他存在高危情况的危重症病人监护。

(2)影响血压的因素　影响动脉压的因素包括心排血量、循环血容量、周围血管阻力、血管壁的弹性和血液黏滞度5个方面。血压能够反映心室后负荷、心肌耗氧量及周围血管阻力。

(3)动脉内置入导管的部位　常选用桡动脉、股动脉、腋动脉、肱动脉、足背动脉,首选桡动脉,其次为股动脉。

(4)有创动脉血压监测方法

①用物准备:床边多功能监测仪器、动脉测压装置、换能器、动脉套管针、生理盐水、加压袋、管道固定装置等。

②病人准备:向病人解释操作目的和意义,以取得其配合;检查尺动脉侧支循环情况,Allen试验阴性者,可行桡动脉置管;前臂与手部常规备皮,范围约2 cm×10 cm,应以桡动脉穿刺处为中心。

③动脉穿刺置管与测压:动脉置管成功后即可开始测压,将准备好的充满液体并排尽气体的压力传感器与动脉穿刺置管针连接,压力传感器的位置应与桡动脉测压点在同一水平线上。

④脉压:即收缩压和舒张压的差值,正常值为30~40 mmHg。

(5)平均动脉压(mean arterial blood pressure,MAP)　为一个心动周期中动脉血压的平均值,是反映脏器组织灌注的指标之一,MAP=DBP+1/3脉压或(2DBP+SBP)×1/3。正常值为60~100 mmHg。

(6)预防并发症

①局部出血血肿:穿刺失败及拔管后要有效地进行压迫止血,必要时局部用绷带加压包扎止血。

②远端肢体缺血:引起远端肢体缺血的主要原因是血栓形成,密切观察术侧远端手指的颜色与温度,发现肤色苍白、发凉及有疼痛感等异常变化时,应及时拔管。

③动脉内血栓形成:动脉置管时间长短与血栓形成呈正相关,在病人循环功能稳定后,应及早拔出。

2.中心静脉压

中心静脉压(central venous pressure,CVP)是指右心房或胸腔内上、下腔静脉的压力。主要反映体内血容量、静脉回心血量、右心室充盈压力或右心功能的变化。

(1)适应证

①危重病人大手术前、后的监护。

②各种类型的休克。

③各种严重创伤、急性循环衰竭等危重症病人的监测。

④指导临床输血、输液、血管活性药物等。

(2)影响中心静脉压的因素　中心静脉压受右心功能、循环血容量、静脉张力、胸腔内压力及心包腔内压力的影响,受病人疾病的病理因素、神经因素、药物因素等影响。

(3)中心静脉导管置入部位　锁骨下静脉,颈内、颈外静脉,股静脉;首选锁骨下静脉。

（4）中心静脉压监测方法　包括简易 CVP 测压法和压力测量法。

①简易监测中心静脉压方法

管内液面下降，当液面不再降时读数；调节三通，关闭测压管，开放输液通路或连接生理盐水冲管。

②压力换能器监测中心静脉压方法

1）装置：将一次性换能器套件连接生理盐水，排净管道内气体后，将压力传感器另一端连接中心静脉导管。

2）零点调节：压力换能器的零点应与右心房相平行（第 4 肋间腋中线水平处），关闭换能器三通病人端，开放大气端。按监护仪上调零钮，仪器自动调定零点。监护仪显示"0"，表示调零结束。

3）测压：关闭换能器大气端，开放病人端。监测仪屏幕连续显示中心静脉压曲线变化和中心静脉压值。

（5）正常值及临床意义　CVP 正常值为 $5 \sim 12 \ cmH_2O$（$1 \ cmH_2O = 98 \ Pa$），它的变化与血容量、静脉张力、静脉回流量、胸腔内压力和右心功能有关。单一 CVP 的数值意义不大，必须结合血压、脉搏、尿量、临床体征等进行综合分析（表 4-2-1）。

①中心静脉压升高：提示补液量过多或过快、右心衰竭、血管收缩、心脏压塞、急性或慢性肺动脉高血压、机械通气和高呼气末正压。

②中心静脉降低：提示血容量不足（如失血、缺水）、血管扩张、血管收缩扩张功能失常（如败血症）。

（6）预防并发症

①感染：穿刺时注意无菌操作，置管期间加强观察与护理，以减少感染。

②出血：穿刺前应熟悉局部解剖，掌握穿刺要点。穿刺时若误入动脉应局部压迫止血，防止发生出血和血肿。

③其他：包括气胸、血胸、气栓、血栓、神经损伤等，预防措施关键在于熟悉解剖结构及严格遵守操作规程。

表 4-2-1　血压与中心静脉压关系的临床意义

中心静脉压	血压	原因	处理原则
低	低	血容量严重不足	充分补液
低	正常	血容量不足	适当补液
高	低	心功能不全或血容量相对过多	给强心药，纠正酸中毒，舒张血管
高	正常	容量血管过度收缩	舒张血管
正常	低	心功能不全或血容量不足	补液试验*

＊补液试验：取等渗盐水 250 mL，于 $5 \sim 10 \ min$ 内经静脉滴注，若血压升高、CVP 不变，提示血容量不足；若血压不变，CVP 升高 $3 \sim 5 \ cmH_2O$，则提示心功能不全。

3.肺动脉压监测

肺动脉压监测（pulmonary arterial pressure monitoring）又称 Swan-Ganz 漂浮导管监测，是

指将 Swan-Ganz 导管经外周静脉插入右心系统和肺动脉，进行心脏和肺血管压力以及心排血量等参数测定的方法，它是一种能够提供较多生理参数的循环系统监测方法。

（1）适应证与禁忌证

①适应证：1）诊断适应证，可以协助心脏功能不全、瓣膜损害、心室间隔缺损、心肌病变、心脏压塞、休克、低心排血量综合征、肺水肿、肺动脉高压和肺栓塞等鉴别诊断。2）监护适应证：判断对改善血流动力学治疗（如应用强心药，调整左室的前后负荷和血容量等）的疗效；通过监测血氧饱和度来改善机体的携氧能力；监护心脏病情的变化如心肌缺血；严重心脏病病人术前、术中和术后的监测。

②禁忌证：血流动力学监测没有绝对禁忌证，但对存在严重的凝血疾病、严重的血小板减少症、右心人工瓣膜、穿刺局部的组织感染或穿刺局部的血管病变严重、室性心律和肺动脉高压的病人应慎重使用。

（2）Swan-Ganz 漂浮导管的基本结构与原理

①Swan-Ganz 漂浮导管：亦称 Swan-Ganz 热稀释球囊漂浮导管，有两腔、三腔、四腔和五腔热稀释漂浮导管，可根据需要选择。目前临床常用的为四腔和五腔漂浮导管。

②五腔漂浮导管结构：五腔漂浮导管全长 100～120 cm，每 10 cm 有一刻度；其结构：1）第一腔主腔在导管顶端有一腔开口，可做肺动脉压力监测。2）第二腔气囊腔距导管顶端约 1 cm，可用空气或二氧化碳充胀，导管尾部经一开关连接注射器，用以气囊充气或放气。3）第三腔是在距导管顶部约 30 cm 处，有另一腔开口，可做右心房压力监测。4）第四腔热敏电阻腔在距顶部 4 cm 处加一热敏电阻探头，可进行心排血量的测定。5）第五腔 CVP 或输液腔有开口于距导管顶端 25 cm 处，用于监测 CVP 或输液。

③基本原理：在心室舒张期末，主动脉瓣和肺动脉瓣均关闭，二尖瓣开放时，在肺动脉瓣和主动脉瓣间可视为一个密闭的液体腔。如血管阻力正常，则左心室舒张末压（LVEDP）≈左心房压（LAP）≈肺动脉舒张压（PADP）≈肺动脉楔压（PAWP）≈肺毛细血管楔压（PCWP），LVEDP 代表左心室收缩前负荷，但直接测量较为困难，监测肺 PAWP 可间接监测左心功能。除测量 PAWP 外，通过导管还可测量右心房压（RAP）、右室压（RVP）和肺动脉压（PAP）等参数指标，并可利用附有的热敏电阻采用热稀释法测 CO。

（3）Swan-Ganz 漂浮导管的操作方法

①置管前准备工作：1）仪器的准备。准备好各种缆线、监护仪屏幕面对操作者。2）用物与药物的准备。Swan-Ganz 漂浮导管、导管鞘、无菌手套、静脉切开包、压力换能器、换能器支架、加压输液袋、肝素盐水 1 支、生理盐水、三通接头 2 个、注射器。3）病人的准备。清醒病人做好沟通解释工作，插管前测量生命体征，身高、体重。平卧位、头偏向一侧。4）导管置入部位，可选锁骨下静脉、颈内、颈外静脉，股静脉，首选颈内、颈外静脉。

②置管和测压：静脉穿刺置入漂浮导管成功后，缓缓推进导管 45 cm，将主腔与压力换能器相连接以监测压力波形，通过尾端气囊口向气囊内注入气体，在压力波形监护下继续缓缓插入导管。借助气囊漂浮作用，导管顺血流向前推进，可达肺动脉，直接楔入肺小动脉和毛细血管。通过压力传感器系统分别监测右心系统各部位的压力及肺动脉楔压曲线和数值，也可测定心排血量。

（4）主要监测指标值

①右房压（RAP）：RAP 正常值为 1～6 mmHg。

②右室压(RVP)：测定右心室压力时存在导管尖激惹右室导致室性心律失常的危险，故一般危重病人不测右室压。RVP 正常值为 0~8 mmHg。

③肺动脉压(PAP)：肺动脉压的正常值为收缩期 15~28 mmHg、舒张期 5~14 mmHg，平均动脉压 20 mmHg。

④肺动脉楔压(PAWP)：其压力波形类似右房压，正常值为 8~12 mmHg。

⑤心排血量(CO)：心排血量常采用热稀法测定，正常值为 4~6 L/min。

(5)并发症的防治

①心律失常：漂浮导管进入到右心室，导管顶端裸露部分触及心内膜，易引起室性心律失常。为防止或减少心律失常的发生，当导管进入到右心房时，应将气囊充气，覆盖导管尖端，插入中遇到阻力时，不可猛力插入。若心律失常频繁发生应暂停操作，积极处理。

②气囊破裂：导管重复多次使用，气囊弹性消失，易发生气囊破裂，多见于肺动脉高压的病人。应注意保护气囊。充气量应小于 1.5 mL，并注意小心缓慢充气。如怀疑气囊破裂，应将注入的气体抽出，同时拔除导管，由右向左分流的病人应使用 CO_2 气体。

③血栓形成和栓塞：导管周围的血栓形成可堵塞插入导管的静脉，出现上肢水肿、颈部疼痛和静脉扩张。对有栓塞史和高凝状态病人需用抗凝治疗。

④肺栓塞：导管尖端栓子脱落可导致肺动脉栓塞，导管插入过深，气囊过度膨胀和长期嵌顿，可压迫血管形成血栓。为减少并发症，充气量应小于 1.5 mL，应间断缓慢充气，严密监测导管尖端位置及气囊充气的情况。

⑤导管扭曲、打结和导管折断：导管插入过深，可引起导管扭曲和打结。遇到有扭曲时应该退出和调换导管。退出有困难时，由于导管的韧性较好，能将其打结抽紧，然后轻轻拔出。导管折断较罕见，但导管放置不宜太久，因为塑料老化或多次使用有可能折断，因此置管前应注意检查导管质量。

⑥肺出血和肺动脉破裂：肺动脉高压病人，气囊导管尖端易进入肺动脉小分支，由于气囊过度充气和血管壁变性，可致肺动脉出血，甚至穿通血管壁。因此，气囊不宜过度充气，测量 PAWP 的时间应尽量缩短，每次测完应及时放气囊。

⑦感染：可发生在穿刺点或切口处，也可引起细菌性心内膜炎。所以，操作过程中必须严格遵守无菌规则，并加强护理，定期更换敷料。

(6)有创压力监测护理重点

①严密观察：观察各种压力变化并准确记录各种监测数据。观察导管及传感器内是否有回血、气泡、是否通畅等，并及时处理。注意检查压力传感器位置是否在零点，每次体位改变应调零校正。

②伤口护理：严密观察穿刺部位伤口，注意有无局部渗血，及时更换被污染伤口敷料。

③预防堵管：保持监测导管通畅，使用肝素盐水间断推注或生理盐水连续滴注冲洗监测管道。间断推注法每隔 1~2 h，用肝素生理盐水(500 mL 盐水内加入肝素钠 50 mg)冲洗导管，以防血栓形成。连续冲洗使用加压输液袋内装生理盐水，袋内压力为 300~400 mmHg，从而可以保证在监测过程中 2~3 mL/h 的速度连续冲洗导管，防止血凝块形成。

④妥善固定监测管道，预防脱管。

⑤预防感染：注意无菌技术操作，及时更换监测套管及换能器等。

第三节　呼吸系统功能监护(人工气道的建立)

一、常用监测指标和意义

知识点案例：
呼吸系统功能监护
(人工气道的建立)

1.呼吸运动监测

(1)呼吸频率(respiratory rate，RR)　呼吸频率是指每分钟的呼吸次数，反映病人通气功能及呼吸中枢的兴奋性，是呼吸功能监测中最简单、最基本的监测项目。可用简单的目测计数，也可以用仪器测定。正常成年人 RR 为 16~20 次/min，小儿 RR 随年龄减小而加快，8 岁儿童约为 18 次/min，1 岁为 25 次/min，新生儿为 40 次/min。如果成人 RR<6 次/min 或>35 次/min 均提示呼吸功能障碍。

(2)呼吸节律　是指呼吸的规律性，正常呼吸节律自然而均匀。观察呼吸节律的变化，能够及时发现异常呼吸类型，提示病变部位，如伴有喘鸣和呼气延长的呼吸状态多由慢性阻塞性肺疾病所致；呼吸频率快、潮气量小、无气道狭窄和阻塞却有呼吸急促表现的，可见于肺、胸廓限制性通气障碍、急性呼吸窘迫综合征、心脏疾病和其他心肺以外疾病。

(3)呼吸幅度　呼吸幅度是指呼吸运动时病人胸腹部的起伏大小，可以大致反映通气量(潮气量)的大小。胸式呼吸是指胸廓活动为主的呼吸，腹式呼吸是指膈肌运动为主的呼吸。一般可通过目测法，主要观察胸腹式呼吸是否同步、双侧是否对称、有无异常呼吸体征等。正常胸式呼吸时两侧胸廓同时起伏，幅度一致。胸式呼吸不对称时常提示一侧胸腔积液、气胸、血胸或肺不张等；胸式呼吸增强常因腹部病变或疼痛限制膈肌运动而引起；胸式呼吸减弱或消失可见于两侧胸部均有损伤或病变，亦可见于高位截瘫或肌松剂作用所致；胸式呼吸与腹式呼吸不能同步常提示有肋间肌麻痹；吸气三凹征提示上呼吸道梗阻，呼气性呼吸困难提示下呼吸道梗阻。

(4)呼吸周期的吸呼比率　即吸呼比，是指一个呼吸周期中吸气时间与呼气时间之比。正常吸呼比为 1：(1.5~2)，吸呼比的变化反映肺的通气与换气功能。可通过直接目测或使用人工呼吸机(非控制呼吸时)呼吸活瓣的运动情况进行评估，精确测量时需通过呼吸功能检测。

2.通气功能监测

(1)潮气量(tidal volume，VT)　潮气量是指在平静呼吸时，一次吸入或呼出的气体量，是呼吸容量中最常用的测定项目之一。正常值 8~12 mL/kg，平均约为 10 mL/kg，男性略大于女性。VT 反映人体静息状态下的通气功能，在使用人工呼吸机时还可以通过测定吸气与呼气 VT 的差值反映出呼吸管道的漏气情况。

(2)每分钟通气量(minute ventilation，MV)　每分钟通气量是指在静息状态下每分钟呼出或吸入的气体量。MV = VT×RR。正常值为 6~8L/min，是肺通气功能最常用的监测指标之一，成人 MV>10~12L/min 常提示通气过度，MV<3~4L/min 则提示通气不足。

(3)生理无效容积(volume of physiological dead space，VD)　VD 是指解剖无效腔与肺泡无效腔的容积之和。解剖无效腔指从口鼻气管到细支气管之间的呼吸道所占的空间，肺泡无效腔指肺泡中未参与气体交换的空间。健康人平卧时解剖无效腔与生理无效腔容积近似相等,疾病时生理无效腔容积可增大。VD/VT 的比值反映通气的效率,主要用于评价无效腔对病人通气功能的影响,有助于寻找无效腔增加的原因。VD/VT 正常值为 0.2~0.35。

(4)肺泡通气量(alveolar ventilation,VA)　肺泡通气量指在静息状态下每分钟吸入气量中达到肺泡进行气体交换的有效通气量。VA=(VT-VD)×RR。正常值 4.2 L/min,可反映真正的气体交换量。

(5)呼气末二氧化碳(end-tidal carbomb dioxide,$ETCO_2$)　$ETCO_2$ 监测包括呼气末二氧化碳分压(pressure end-tidal carbon dioxide,$PETCO_2$)或呼出二氧化碳浓度、呼出二氧化碳波形及其趋势图监测,可反映肺通气功能状态和计算二氧化碳的生产量,同时也可反映循环功能、肺血流情况等。呼出气二氧化碳波形及趋势图是呼吸周期中测得的呼气末二氧化碳分压的变换曲线图,是临床常用的监测方法,可监测气管插管的位置是否正确、自主呼吸是否恢复、机械通气参数设定是否合理及心肺复苏是否有效等。

①$PETCO_2$ 监测原理:可根据红外线光谱原理、质谱原理或分光原理测定呼气末部分气体中的 CO_2 分压,其中红外线光谱法应用得最为广泛,主要利用 CO_2 能吸收波长为 4.3 μm 的红外线,使红外线光数量衰减,其衰减程度与 CO_2 浓度成正比。

②$PETCO_2$ 监测的临床意义:1)判断通气功能。$PETCO_2$ 的正常值是 35~55 mmHg,在无明显心肺疾病的病人,$PETCO_2$ 的高低常与 $PaCO_2$ 的监测结果一起用来判断病人的通气功能状况,并可据此调节通气量,以避免通气过度或不足。2)反映循环功能。$PETCO_2$ 在一定程度上也反映循环系统功能。低血压、低血容量、休克及心力衰竭时,随肺血容量减少 $PETCO_2$ 也降低,呼吸心跳停止时 $PETCO_2$ 迅速降为零。3)判断人工气道的位置与通畅情况。通过 $PETCO_2$ 监测有助于判断气管插管是否在气管内及判断气管-食管导管的正确位置。气管插管移位误入食管时,$PETCO_2$ 会突然降低至接近于零;气管-食管导管的导管双腔中随呼吸有明显 $PETCO_2$ 变化的腔应为气管插管开口。另外,通过 $PETCO_2$ 监测可了解气管与气管内导管的通畅情况,当发生阻塞时,$PETCO_2$ 气道压均升高。

3.脉搏血氧饱和度

脉搏血氧饱和度(pulse oxygen saturation,SpO_2)是通过动脉脉搏分析来测定血液在一定氧分压下氧合血红蛋白占全部血红蛋白的百分比。

(1)SpO_2 监测方法　临床上 SpO_2 通常是用脉搏血氧饱和度测定仪来监测获得的,脉搏血氧饱和度测定仪是一种对周围组织中动脉血的氧饱和度进行持续非创伤性监测的仪器。成人多用指夹法,如果病人指甲较厚或末梢循环较差时选用耳朵法;小儿监测时多采用耳朵法。

(2)SpO_2 监测原理　血红蛋白具有光吸引的特征,但氧合血红蛋白与游离血红蛋白吸收不同波长的光线,利用光线分度计比色的原理,可以监测得到随动脉搏动血液中氧合血红蛋白对不同波长的吸收光量,而间接了解病人血氧分压的高低,判断氧供情况。

(3)SpO_2 监测的临床意义　SpO_2 的正常值为 96%~100%。临床上 SpO_2 与 SaO_2 有显著的相关性,在临床重症监护方面应用广泛,常用于监测呼吸暂停、发绀和缺氧的严重程度。SpO_2<90% 时常提示有低氧血症。但一氧化碳中毒时由于碳氧血红蛋白与氧合血红蛋白的吸收光谱非常近似,可能会因正常监测结果而掩盖严重的低氧血症。因此,一氧化碳中毒时不能以 SpO_2 监测结果来判断是否存在低氧血症。

4.呼吸力学监测

(1)呼吸压力

①气道压:指气道开口处的压力。常用峰压、平台压与平均气道压等指标来描述气道压力变化,是机械通气时最常用的监测指标。

1)气道峰压:整个呼吸周期中气道内压力的最高值,在呼吸运动的动态变化过程中,用于克服肺和胸廓的弹性组织和黏滞阻力,与吸气流速、潮气量、气道阻力、胸肺顺应性和呼气末压力有关。机械通气时应保持气道峰压<40 cmH$_2$O,过高会增加气压伤的风险。

2)平台压:吸气后屏气时的压力,用于克服肺和胸廓的弹性阻力。与潮气量、肺顺应性和呼气末压力有关。机械通气时,平台压>30~35 cmH$_2$O,气压伤的风险增加,同时会使循环受到影响。

3)平均气道压:指连续数个呼吸周期中气道内压力的平均值。它反映了对循环功能的影响程度,平均气道压越高,对循环的抑制就越重。一般平均气道压小于7 cmH$_2$O时对循环功能无影响。

②呼气末正压(PEEP):正常情况下呼气末肺容量处于功能残气量时,肺和胸壁的弹性回缩力大小相等,力的方向相反。因此,呼吸系统的弹性回缩压为零,肺泡压也为零。但病理情况下,呼气末肺容量可高于功能残气量,使呼吸系统的静态弹性回缩压与肺泡压均升高,会产生内源性PEEP,机械通气时还可以人为设置外源性PEEP。

③经肺压:指气道开口压与胸膜腔压之间的差值,反映了在相应的肺容量时需要克服肺的阻力大小,也是产生相应的肺容量变化消耗于肺的驱动压力。胸膜腔压力一般通过食管气囊导管法测量食管中下1/3交界处的压力。

④最大吸气压力:是反映呼吸肌吸气力量的指标,正常男性<-75 cmH$_2$O,女性<-50 cmH$_2$O。

⑤最大呼气压力:是反映呼吸肌呼气力量的指标,正常男性>100 cmH$_2$O,女性>80 cmH$_2$O。

(2)气道阻力(airway resistance,RAW)　是指气流通过气道时进出肺泡所耗费的压力,用单位流量所需的压力差来表示,通常分为两种:①吸气阻力:正常值为5~10 cmH$_2$O/(L·s),计算公式:吸气阻力=(峰压-平台压)/吸气末流量。②呼气阻力:正常值为3~12 cmH$_2$O/(L·s),计算公式:吸气阻力=(平台压-呼气早期压)/呼气早期流量。

(3)肺顺应性(lung compliance,CL)　顺应性是单位压力改变所产生的肺容量变化,是反映弹性回缩力大小的指标,根据测量方法不同可分为两种:①静态顺应性(static compliance,Cst):是指在呼吸周期中阻断气流的条件下测得的顺应性,正常值100 mL/cmH$_2$O,计算公式Cst=潮气量/(平台压-Ppeep)。②动态顺应性(dynamic compliance,Cdyn):是指在呼吸周期中不阻断气流的条件下通过寻找吸气末与呼气末的零流量点而测得的顺应性,正常值50~800 mL/cmH$_2$O,该结果与呼吸系统的弹性有关,且受到阻力的影响,计算公式Cdyn=潮气量/(峰压-Ppreep)。

5.动脉血气分析监测

维持呼吸功能稳定、氧疗及应用呼吸机是急危重症病人的常用治疗手段,对呼吸状态进行全面判断,并结合动脉血气分析,已经成为危重病人监测治疗必不可少的项目,通过血气分析可以监测病人的氧合状况以及酸碱平衡情况,可为危重病人的诊断与治疗提供可靠依据。目前临床上常用的血气分析为有创动脉血气分析。

（1）常用监测项目和指标

①氧合作用指标的监测：1）动脉血氧分压（PaO_2）的监测。动脉血氧分压是决定氧运输量的重要因素，指溶解在动脉血浆内的氧所产生的张力，反映了血浆中物理溶解的氧量，影响血氧饱和度与血红蛋白结合的氧量。PaO_2 测定值依靠动脉血气分析获得。PaO_2 的正常值为 80~100 mmHg，60~80 mmHg 为轻度低氧血症，40~60 mmHg 为中度低氧血症，低于 40 mmHg 为重度低氧血症。2）动脉血二氧化碳分压（$PaCO_2$）监测：$PaCO_2$ 指溶解在血浆中的二氧化碳所产生的压力，由于 $PaCO_2$ 的肺通气功能与二氧化碳产生量平衡的结果，因此它是反映通气功能的常用指标，临床常用于评价病人通气量是否足够，指导机械通气。正常值为 35~45 mmHg。$PaCO_2$ 降低表示肺泡通气过度；$PaCO_2$ 增高表示肺泡通气不足，出现高碳酸血症，是诊断 II 型呼吸衰竭必备的条件。3）动脉血氧饱和度（SaO_2）的监测：SaO_2 是指氧合血红蛋白占血红蛋白的百分比，即动脉血液中血红蛋白在一定氧分压和氧结合的百分比。正常值为 96%~100%，SaO_2 与血红蛋白的多少没有关系，而与血红蛋白和氧的结合能力有关，其数值表示血液内氧和血红蛋白结合的比例，虽然多数情况下也作为缺氧和低氧血症的客观指标，但与 PaO_2 不同的是它在某些情况下并不能完全反映机体缺氧的情况，特别是当合并贫血或血红蛋白减低时，SaO_2 可能正常，但实际上病人可能存在一定程度的缺氧。血氧饱和度与血氧分压及血红蛋白离解曲线有直接关系。氧合血红蛋白的结合与氧分压有关，受温度、CO_2 分压、H+浓度等影响，也与血红蛋白的功能状态有关，如碳氧血红蛋白、变性血红蛋白就不再具有携氧能力。4）动脉血氧含量（CTO_2）：是指每 100 mL 动脉血中的含氧量，以毫升为单位，即除了溶解于动脉血液中的氧量以外，还包括与血红蛋白结合的氧量。1 g 血红蛋白完全与氧结合，可结合氧 1.34 mL。CTO_2 正常值为 16~20 mL/dL。CTO_2 与氧分压之间存在一定关系，但是当氧分压超过 100 mmHg 时，随氧分压的增高血红蛋白的携氧量将不再继续增加，而呈平行的比例关系。5）二氧化碳总量（$T\text{-}CO_2$）：是指存在于血浆中一切形式 CO_2 的总和。正常值为 28~35 mmol/L。一般在 $PaCO_2$ 增高时 $T\text{-}CO_2$ 增高；而血中 HCO_3 增高时 $T\text{-}CO_2$ 亦增高。

②氧交换效率的监测：动脉血氧分压/吸氧浓度（PaO_2/FiO_2）是反映氧合作用及气体交换效率的最简化指标。对快速估计病人气体交换状态，是否需要使用其他指标作进一步监测。随着吸入氧浓度（FiO_2）的增加，正常人的 PaO_2 也上升，PaO_2/FiO_2 正常值为 400~500 mmHg。肺通气/血流比例失调、弥散功能障碍及动静脉瘘等可使 PaO_2/FiO_2 比值下降。急性呼吸衰竭时比值可小于 300 mmHg，当比值小于 150 mmHg 时提示病人气体交换及氧合作用极差，为气管插管及机械通气指征。

③酸碱平衡指标：在外科护理学中有具体内容。

（2）血气分析标本的留取　血样为动脉或是动静脉混合血，一般选择较易触到或较易暴露部位的动脉进行穿刺采取血样。在抽取动脉血气标本时必须先用肝素钠稀释液湿润注射器或使用特殊血气分析注射器，在抽取动脉血样前推净注射器内的液体和气泡。选择在动脉搏动最明显处进针采血 2 mL。采血后注意立即拔出针并将针头插入准备好的胶塞内密封与空气隔绝。这时将注射器轻摇，使血液和肝素充分混匀，防止凝血。

①影响血气分析结果的因素

1）心理因素：病人在抽血样时恐惧、烦躁不安、精神紧张而诱发快速呼吸，可导致

$PaCO_2$ 降低；若病人因害怕而导致疼痛屏气，则可发生通气不足导致 $PaCO_2$ 升高。烦躁、精神紧张的病人需休息 30 min，必要时使用镇痛剂。

2）采血量及肝素浓度：肝素浓度是血气分析结果准确的核心保证，肝素用量过多可造成稀释性误差，使 pH、$PaCO_2$ 值偏低，$PaCO_2$ 值偏高，出现假性低碳酸血症。但是肝素量过少，便起不到抗凝的作用。国际生化联合会（IFCC）推荐血气标本中肝素的最终浓度为 50 U/mL。

3）采血部位与进针角度：动脉采血部位应选择侧支循环丰富，外周浅表易触及，大小合适，进针时疼痛少的动脉。桡动脉为最合适的穿刺部位。桡动脉无法穿刺时可选择足背动脉（足背动脉通过处即足背内外踝中点，为胫前动脉的直接延续）、肱动脉、股动脉。

4）血标本有气泡：气泡会影响血气的 pH、$PaCO_2$、PaO_2 的检测结果，特别是 PaO_2 值。理想的血气标本，其空气气泡应低于 5%。

5）采血时机：采血时机要适合。病人在吸氧情况下会明显影响动脉血气分析结果。要正确了解病人是否出现呼吸衰竭，病情许可的情况下可停止吸氧 30 min，机械通气设置参数 30 min 后采血进行血气分析。

6）标本送检时间：应及时送检。$PaCO_2$、PaO_2 和乳酸的检测必须在 15 min 内完成，其余项目如 pH、电解质、BUN、血红蛋白、血细胞比容和血糖的检测，要求在 60 min 内完成。对于检测乳酸的标本，检测前必须在冰箱（冰水）中保存。其他检测项目标本可在室温或冰水中保存不超过 1 h。

二、人工气道的管理

人工气道（artificial airway）指运用各种辅助设备和特殊技术在生理气道与空气或其他气源之间建立的有效连接，以保证气道通畅，维持有效通气。然而，人工气道的建立也会在一定程度上损伤和破坏机体正常的生理解剖功能，给病人带来危害。人工气道包括口咽通气管、鼻咽通气管、喉罩、气管插管导管、气管切开套管等，与机械通气相关的人工气道主要包括气管插管、气管切开置管。人工气道的管理会影响病人的预后，其管理如下：

1. 人工气道的固定

妥善固定人工气道，严密观察人工气道固定情况，每班记录导管插入深度，以便及时发现导管移位。在固定人工气道前，应保持病人面部清洁、干净，并剔净胡须，洗净口鼻腔分泌物。人工气道可用胶布、边带，或者专用固定带等固定。固定松紧度以通过一根手指为宜。

固定人工气道的固定带，应定期更换或潮湿后随时更换，注意保护面部和颈部皮肤，防止皮肤损伤。

2. 气管内吸引

（1）气道分泌物吸引指征　包括以下几个方面：气管导管内可见明显分泌物；病人频繁或持续呛咳；听诊气管或胸部有明显痰鸣音；分泌物引起的 SpO_2 突然降低；呼吸机流速-时间曲线呼气相出现震动；呼吸机出现高压或低潮气量报警；病人突发呼吸困难、口唇和黏膜发绀等。

（2）负压吸引压力　负压吸引，压力要适宜，负压过大容易损伤气道黏膜引起出血等，负压过小不易清除气道分泌物。

（3）吸引方式　包括开放式和密闭式吸引方式。以往多采用开放式吸痰装置，但由于在操作过程中需要分离病人与呼吸机间的管道连接，开放式吸引容易出现气道分泌物和呼吸机管道冷凝水外喷污染环境，同时断开呼吸机回路后 PEEP 消失，肺容量降低，不利于保持气道压力和密闭性，容易出现肺内负压增加和低氧血症等。20 世纪 80 年代后期引入密闭式吸痰装置，因其不影响病人与呼吸机管路的连接，对呼吸和循环影响较小，可维持呼气末正压和减少对周围环境的污染，临床上应用日渐增多。

（4）吸痰注意事项　①吸痰前后予以纯氧，可避免出现低氧血症。②吸痰管选择不能太细或太粗，吸痰管直径不应超过导管内径的 1/2，以 1/3 为宜，吸痰管长度应比气管导管长 4~5 cm 为宜。③每次吸引时间不超过 15 s，以减少低氧血症的发生。

3. 人工气道湿化

正常呼吸道对吸入气体有加温、湿化和过滤作用，人工气道的建立使吸入气体绕过了上呼吸道，使上呼吸道原有的湿化、加温、过滤等功能消失，呼吸道防御功能减弱。如果机械通气病人人工气道湿化不足，将在人工气道或气管和支气管内形成痰痂，影响通气治疗的效果，甚至造成气道堵塞导致窒息，直接威胁病人生命。因此人工气道的加温和湿化是护理工作的重要内容。

（1）湿化方法　常见的温化和湿化方法包括加热型湿化器、雾化湿化器和热湿交换器（人工鼻）。国内机械通气临床应用指南（2006）建议不管采取何种湿化方式，均要求气管近端的温度为 37℃，相对湿度为 100%，这是最理想的状态。机械通气时使用加热湿化器对吸入气体进行温化和湿化，湿化器内需加入无菌蒸馏水，不能加入生理盐水或其他药液。为保证温化、湿化效果，可使用吸气回路带加热导丝的加热湿化器。

（2）湿化标准　湿化程度评定标准分为以下三类。①湿化满意：病人安静，分泌物稀薄，能顺利吸出或咳出，导管内没有结痂，呼吸道通畅，听诊无痰鸣音。②湿化不足：痰液黏稠不易咳出，导管内有痰痂、血痂，严重者可突然出现吸气性呼吸困难、烦躁、发绀及血氧饱和度下降，听诊有干啰音。③湿化过度：病人频繁咳嗽，烦躁不安，痰液过度稀薄需不断吸引，甚至可自行喷出；严重者可出现缺氧性发绀、血氧饱和度下降及心率、血压的变化，听诊肺部和气管内痰鸣音明显。

4. 气囊管理

（1）气囊压力管理　常规使用气囊压力监测仪来监测人工气道气囊压力，采用最小封闭压力法或最小漏气技术进行气囊注气，维持高容低压套囊压力在 25~30 cmH$_2$O，既可有效封闭气道，又不高于气管黏膜毛细血管灌注压，可预防气道黏膜缺血性损伤及气管食管瘘，拔管后气管狭窄等并发症。定时检查气囊压力，并及时调整。

（2）气囊上滞留物的清除　建立人工气道，特别是气管插管后，病人的吞咽受限，口腔分泌物及胃食管反流物受气囊阻隔滞留于气囊上方，造成局部细菌繁殖，分泌物可顺气道进入肺部，导致肺部感染。清除气囊上滞留物，目的是清除气管插管套囊与气管壁间隙的分泌物，防止分泌物积聚引起气管黏膜糜烂及感染。目前一般不主张常规定期气囊放气，因气囊放气时间短，且影响通气功能，而气囊压迫区的黏膜毛细血管血流难以恢复。临床上利用带有侧孔的气管插管或气管切开套管，进行持续声门下吸引或气道冲洗，以清除声门下至插管气囊之间的分泌物。因此采用声门下分泌物引流可有效预防肺部感染。持续声门下吸引是采用负压吸引装置对气管导管球囊上方分泌物进行持续性引流，且引流充分，但需要注意局部黏膜干燥、出血、影响局部血供等并发症。间断声门下吸引则间断进行分泌物的引流，如病人分泌物较多时则不能保证充分引流，增加感染几率。

（3）《机械通气临床应用指南》（中华医学会重症医学分会，2006 年）推荐意见：应常规监测人工气道的气囊压力；有条件的情况下，建立人工气道的病人应进行持续声门下吸引。

5. 常见并发症及处理

（1）人工气道相关并发症

①脱管：与导管固定不佳和牵拉有关，表现为呼吸机低潮气量报警、喉部发声和窒息等。应紧急处理，保持气道通畅，应用简易呼吸球囊通气和供氧。

②气管堵塞：与痰栓、异物、导管扭曲、气囊脱出嵌顿导管口有关，表现为不同程度的呼吸困难，严重者可出现窒息。应针对原因及时处理，如调整人工气道位置、抽出气囊气体、试验性插入吸痰管等。如果经处理后气道梗阻仍不缓解，则应立即拔除气管导管，重新建立人工气道。

③气道损伤：与插管时机械性损伤，吸痰、导管压迫气道和气囊压迫气管黏膜等有关。

（2）机械通气引起的并发症

①呼吸机相关肺损伤（VILI）：指机械通气对正常肺组织造成的损伤或使已损伤的肺组织进一步加重，包括气压伤、容积伤、萎陷伤等，临床可表现为皮下气肿、纵隔气肿、气胸和肺水肿等。

②呼吸机相关性肺炎（VAP）：指机械通气 48 h 后发生的院内获得性肺炎。预防 VAP 的发生应用集束化管理模式对机械通气病人进行管理，包括手卫生、病人体位、气道管理、呼吸机管道管理等预防措施。

第四节　机械通气的护理

在危重症病人的抢救过程中，呼吸支持的主要措施包括氧疗和人工通气。对心搏骤停病人进行心肺复苏时，如果能获取氧气，可给予高浓度或 100% 氧气吸入，一旦病人出现自主循环恢复，则应调节氧流量维持血氧饱和度大于或等于 94%，避免体内氧中毒。人工通气包括口对口（鼻）人工呼吸和机械通气，本节主要阐释机械通气。

机械通气（mechanical ventilation，MV）是利用人工方法或机械装置来代替、控制或辅助病人呼吸，以达到增加通气量、改善气体交换、减轻呼吸功能消耗、维持呼吸肌功能的一种通气方式，临床上包括球囊-面罩通气、球囊与人工气道的连接通气和呼吸机的使用，根据呼吸机与病人的连接方式不同又分为无创机械正压通气和有创机械通气。

◆ 一、机械通气的目的

机械通气适用于脑部外伤、感染、脑血管意外及中毒等所致中枢性呼吸衰竭；支气管、肺部疾患所致周围性呼吸衰竭；呼吸肌无力或麻痹状态；胸部外

知识点案例：
机械通气的护理

伤或肺部、心脏手术；心肺复苏等。其目的包括：

1. 改善通气与换气功能

提高氧分压机械通气时，在维持呼吸道通畅的前提下，通过机械装置维持病人足够的潮气量，保证代谢所需的肺泡通气量。另外，使用呼气末正压通气方法可使肺内气体分布均匀，改善通气/血流比例，减少肺内分流，改善氧运输，纠正低氧血症。

2. 纠正急性呼吸性酸中毒，改善或维持动脉氧合

通过改善肺泡通气使 $PaCO_2$ 和 pH 得以改善，将 $PaCO_2$ 水平维持在基本正常范围内，以纠正急性呼吸性酸中毒。

3. 降低呼吸功耗，缓解呼吸肌疲劳

机械通气可以减少病人呼吸肌做功，降低呼吸肌氧耗，达到缓解呼吸肌疲劳的目的，同时也减轻心脏的负担。

二、机械通气的适应证和禁忌证

1. 适应证

机械通气目前已不局限于抢救危重呼吸衰竭及呼吸停止，更多用于缓解缺氧和二氧化碳潴留。任何原因引起严重呼吸功能障碍，出现严重缺氧或二氧化碳潴留，均能使用机械通气治疗。当病人意识障碍，呼吸形态严重异常，如呼吸频率大于 35~40 次/min 或小于 6~8 次/min，呼吸节律异常，自主呼吸微弱或消失；血气分析提示严重通气和（或）氧合障碍，充分氧疗后无改善，$PaO_2 < 50$ mmHg，$PaCO_2$ 进行性升高，pH 动态下降均是应用呼吸机指征。

2. 禁忌证

机械通气严格讲没有绝对禁忌证，但对于一些特殊情况，机械通气可能使病情加重：如张力性气胸及纵隔气肿未行引流，肺大疱和肺囊肿，低血容量性休克未及时补充血容量，严重肺出血，气管-食管瘘等。但出现致命性通气和氧合障碍时，应积极处理原发病（如尽快行胸腔闭式引流、积极补充血容量等），同时不失时机地应用机械通气。

三、简易呼吸器的使用

简易呼吸器的使用包括球囊-面罩通气、球囊与人工气道的连接通气，它由一个有弹性的球囊、三通呼吸活门、衔接管、压力限制阀和面罩组成，在球囊后面有一个四合一装置和储氧袋，保证空气的单向进入和储氧袋的安全，同时还有氧气入口。

微课：简易呼吸器的使用

1. 适应证

（1）现场呼吸停止或呼吸衰竭的抢救。

（2）转运途中或临时替代呼吸机的人工通气。

2. 相对禁忌证

（1）肺部有中等以上活动性出血。

（2）颌面部外伤或严重骨折时不宜使用面罩通气。

（3）大量胸腔积液。

3.球囊-面罩通气的操作方法

（1）操作前准备

①物品准备：选择合适的面罩并检查其性能，球囊、面罩、储氧袋等连接正确，安全阀处于开启状态，能有效送气。如果是充气面罩，面罩压力适中，如有氧气条件连接氧气，氧流量10~15 L/min，使储氧袋充满氧气。

②病人准备：松解衣领，去枕后仰保持气道开放。清除口腔内义齿与异物，必要时插入口咽通气管，防止舌咬伤和舌后坠。球囊-面罩通气时，操作者位于病人头顶侧，使头后仰，并紧托下颌使其朝上，畅通气道。如果病人已经建立人工气道，实施球囊与人工气道的连接操作时可以站在病人的两侧。

（2）操作步骤

①固定面罩：单人操作时，操作者位于病人头部后方，将面罩扣在病人口鼻处，用一手拇指和示指呈C形按压面罩，中指和无名指放在下颌骨下缘，小指在下颌角后面，呈E形保持气道开放，两组手指相向用力，将面罩紧密置于病人面部，即"EC手法"（图4-4-1）。

双人操作时则由一人双手"EC手法"固定面罩，即双手拇指和示指呈C形按压面罩，中指、无名指和小指呈E形紧托下颌骨下缘并使其朝上开放气道。

图4-4-1　球囊-面罩EC手法

②挤压球囊：单人操作时，另一手规律、均匀地挤压球囊送气；双人操作时，由另一人挤压球囊，通气量以见到胸廓起伏即可，400~600 mL。在复苏过程中若病人无脉搏并且无高级气道的建立，按照30∶2的比例进行按压-通气；若有脉搏无呼吸，按照10~12次/min的频率送气；若病人有微弱的自主呼吸，则在吸气时挤压气囊。如病人建有高级气道，急救人员不再需要胸外心脏按压与人工通气交替实施，人工通气10次/min的频率，按压100~120次/min的频率。

③观察：在挤压球囊的过程中注意观察病人的胸廓起伏、口唇皮肤的颜色以及血氧饱和度的改变。

四、无创正压机械通气

无创正压机械通气(noninvasive positive pressure ventilation，NIPPV)是指通过鼻罩、面罩或接口器等方式连接病人，无需气管插管或切开的正压机械通气。随着医学发展、呼吸机和通气模式的改进以及临床应用技术的提高，20世纪80年代后期以来NIPPV的临床应用日渐普及，已经成为治疗呼吸衰竭，尤其是早期的急性呼吸衰竭和慢性呼吸衰竭病人的重要手段。

1. 适应证

目前尚没有明确统一的临床应用指征。根据文献报道NIPPV可应用于治疗多种疾病引起的呼吸衰竭和急性左心衰竭，如慢性阻塞性肺病的急性发作、I型呼吸衰竭、手术后呼吸衰竭、神经肌肉疾病、辅助脱机或拔管后的呼吸衰竭等。

2. 禁忌证

NIPPV不用于绝对禁忌证的病人，对于相对禁忌证，尚有待进一步探讨，在有好的监护条件和严密观察的前提下，可慎重应用(表4-4-1)。

表4-4-1　NIPPV 的禁忌证

绝对禁忌证	相对禁忌证
心跳呼吸停止	气道分泌物多/排痰障碍
自主呼吸微弱、昏迷	极度紧张
误吸可能性高	严重低氧血症($PaO_2 < 45$ mmHg)，严重酸中毒($pH \leqslant 7.2$)
合并其他器官功能衰竭(血流动力学不稳定，消化道大出血/穿孔，严重脑部疾病等)	近期上腹部手术，尤其需要严格胃肠减压者
面部创伤/术后/畸形	严重肥胖
正压通气不合作	上气道阻塞

3. 操作过程

(1)操作前准备

①物品准备：选择呼吸机，连接管道，检查呼吸机性能。

②病人准备：做好充分的解释工作，取得病人的配合并训练用鼻呼吸，在使用前清除呼吸道分泌物，取舒适体位。为避免误吸风险，如果病情允许抬高床头或取半坐卧位。选择合适的面罩、鼻罩或接口器，并使用合适的监护设备。

(2)呼吸机连接电源，接氧气，调整氧流量，设置参数，待机。给病人戴面罩，询问是否合适，打开呼吸机，将呼吸机和面罩连接，观察病人情况。由于治疗的病种和严重程度等因素差异比较大，呼吸机参数应根据实际情况灵活应用，临床上通常选用同步性较好的模式。由于NIPPV治疗时强调病人的舒适性，建议选用同步触发性能比较好的触发方式，如：流量触发、容量触发或流量自动追踪(auto-track)等。通气参数按照病人的具体情况来调节，辅助通气的压力、容量和流量必须足够才能达到理想的辅助通气效果。

①开始用低的压力(容量),用自主触发(有后备频率)的模式;压力限制型:吸气压 0.785~1.18 kPa(8~12 cmH$_2$O),呼气压 0.294~0.490 kPa(3~5 cmH$_2$O);容量限制型:10 mL/kg。

②按照病人的耐受性逐渐增加吸气压至 0.981~2.45 kPa(10~25 cmH$_2$O)或潮气量至 10~15 mL/kg,以达到缓解气促,减慢呼吸频率,增加潮气量的目的和理想的人机同步性。

③使用过程中要反复鼓励病人,取得配合。对躁动的病人可考虑使用浅镇静药,如静脉用氯羟甲基安定 0.5 mg。

(3)使用后,要严密观察病情,监测血氧饱和度,使 SpO$_2$>90%,间歇监测血气分析。检查面罩有无漏气,每 4 h 松解面罩一次,减轻面罩对皮肤的压迫,必要时调整固定带的张力。观察呼吸机工作能否与病人的自主呼吸一致,看病人吸气时呼吸机能否同步送气,呼气时呼吸机能否及时切换。无创正压通气能否成功应用,除与适应证把握、呼吸机自身性能及模式参数合理应用调节等因素密切相关外,更强调病人的耐受性与依从性,即"人机协调性"病人能否接受面罩正压通气、呼吸机工作能否与其呼吸同步。

(4)观察并处理并发症　无创正压通气面罩的使用导致面部皮肤压伤,鼻梁皮肤损伤较常见,此外还会引起鼻腔充血、上呼吸道干燥、排痰不畅、鼻窦与耳部的疼痛、眼部刺激及胃胀气等,临床上还会有吸入性肺炎、低血压和气胸等并发症,因此要注意观察并及时防治。

五、有创机械通气

1. 操作前准备

(1)物品的准备

①急救物品的准备:机械通气前应准备好急救物品与药物,如气管插管用的喉镜、纤维支气管镜、吸痰机、急救车等。有创机械通气需建立人工气道,配合医生做好气管插管或气管切开置管。

②呼吸机准备:呼吸机应有专人管理与维护,随时处于备用状态。1)根据病人基本情况选择合适的呼吸机与呼吸机管道湿化系统。2)连接好电源、气源和呼吸机湿化管道系统。3)设置呼吸机模式、参数和报警上下限。4)机器自检各功能部件有无障碍,呼吸机各功能部件检查有无异常。5)用模拟肺测试呼吸机处于正常运行状态,将呼吸机调至待机模式备用。

(2)病人准备

①清醒病人心理准备:护士应对清醒的病人解释机械通气的目的、治疗作用与配合、注意事项等,解除他们的紧张和恐惧心理。

②病人基本情况准备:明确病人的病情、诊断、既往史、年龄、性别、身高、体重及对机械通气的特殊要求。

③病人体位准备:选择病人舒适的体位,根据病情给予平卧位、半坐卧位等。

2. 机械通气模式

(1)基本模式分类

①"定容"型通气和"定压"型通气:定容型通气是以呼吸机预设通气容量来管理通气。呼吸机送气达预设容量后停止送气,依靠肺、胸廓的弹性回缩力被动呼气。常见的定容通气有容量控制通气、容量辅助控制通气、间歇指令通气(IMV)和同步间歇指令通气(SIMV)等,

也可以将它们统称为容量预设型通气(volume preset ventilation, VPV)。定压型通气是以呼吸机预设气道压力来管理通气，呼吸机送气达预设压力且吸气相维持该压力水平，潮气量是由气道压力与 PEEP 之差及吸气时间决定，并受呼吸系统顺应性和气道阻力的影响。常见的定压型通气模式有压力控制通气(PCV)、压力辅助控制通气(P-ACV)、压力控制-同步间歇指令通气(PC-SIMV)、压力支持通气(PSV)等，统称为压力预设型通气(pressure preset ventilation, PPV)。

②控制通气和辅助通气：控制通气(controlled ventilation, CV)指呼吸机完全代替病人的自主呼吸，呼吸机控制病人的潮气量、频率、呼吸比、吸气压力、吸气流速来提供全部的呼吸功。CV 适用于呼吸完全停止或呼吸极微弱者，如心搏呼吸骤停、中枢神经系统功能障碍、神经-肌肉疾病、药物过量、麻醉等情况。辅助通气(assisted ventilation, AV)指呼吸频率由病人控制，采用压力或流量触发形式，依靠病人的自主吸气触发呼吸机吸气活瓣实现通气。当存在自主呼吸时，根据气道内压力降低(压力触发)或气流(流速触发)的变化触发呼吸机送气，按预设的潮气量(定容)或吸气压力(定压)输送气体，由病人和呼吸机共同完成呼吸功。适用有自主呼吸但通气不足者，如 COPD 急性发作、重症哮喘等。

（2）通气常用模式

①辅助控制通气(assist-control ventilation, ACV)：是控制通气(CV)和辅助通气(AV)两种功能模式，当病人自主呼吸频率低于预设频率或病人吸气努力不能触发呼吸机送气时，呼吸机以预设的潮气量及通气频率进行正压通气，即 CV。当病人吸气能触发呼吸机时，以高于预设频率进行通气，即 AV。ICU 机械通气病人的初始模式常为 ACV，然后再根据病人病情进行模式调整。ACV 又分为压力辅助控制通气(P-ACV)和容量辅助控制通气(V-ACV)。

②同步间歇指令通气(synchronized intermittent mandatory ventilation, SIMV)：是自主呼吸与控制通气相结合的呼吸模式，在触发窗内病人可触发和自主呼吸同步的指令正压通气，在两次指令通气之间触发窗外允许病人自主呼吸，指令呼吸是以预设容量(容量控制 SIMV)或预设压力(压力控制 SIMV)的形式送气。SIMV 能与病人的自主呼吸同步，减少病人与呼吸机的对抗，减低正压通气的血流动力学影响，用于长期使用呼吸机病人的撤机前模式。

③压力支持通气(pressure support ventilation, PSV)：属部分支持通气，是病人触发通气、呼吸频率、潮气量及呼吸比，当气道压力预设的压力支持水平时，吸气流速降低至某一阈值水平以下时，由吸气切换到呼气。

④持续气道正压通气(continuous positive airway pressure, CPAP)：在自主呼吸条件下，整个呼吸周期内气道均保持正压，由病人完成全部的呼吸功。CPAP 用于通气功能正常的低氧病人，可防止气道和肺泡的萎缩塌陷，增加肺泡内压力和功能残气量，增加氧合，改善肺顺应性，降低呼吸功。

⑤双相气道正压通气(biphasic positive airway pressure, BiPAP)：指给予两种不同水平的气道正压，为高压力水平(P_{high})和低压力水平(P_{low})之间定时切换，且其高压时间、低压时间、高压水平、低压水平各自可调，从 P_{hih} 转换至 P_{low} 时，增加呼出气量，改善肺泡通气。该模式允许病人在两种水平上呼吸，可与 PSV 合用以减轻病人呼吸功。

3.机械通气常见参数设置与调节

呼吸机参数应根据病人的病情、自主呼吸水平、氧合状态、血流动力学及动脉血气分析进行设置与调整。设置适当的参数能保持良好的人机同步性，改善氧合，预防机械通气并发症。

（1）常用呼吸机参数设置

①呼吸频率：呼吸频率的选择根据分钟通气量、目标 $PaCO_2$ 水平进行，成人通常设定为 12~20 次/min。

②潮气量（VT）：潮气量的选择应保证足够的气体交换及病人的舒适度，通常依据体重选择 5~12 mL/kg。

③吸呼比（I∶E）：机械通气病人通常设置吸气时间为 0.8~1.2 s 或吸呼比为 1∶（1.5~2）。

④吸气压力：成人先预设 15~20 cmH_2O，小儿 12~15 cmH_2O，根据潮气量进行调整。

⑤呼气末正压（PEEP）：初始接受呼吸机治疗时，一般不主张立即应用或设置 PEEP。当缺氧难以纠正，FiO_2>60% 而 PaO_2 仍小于 60 mmHg，应加用 PEEP，依据缺氧情况，调节 PEEP 水平。

⑥吸入氧浓度（FiO_2）：机械通气的初始阶段，可给高浓度 FiO_2（100%），以迅速纠正严重缺氧，以后依据目标 PaO_2、PEEP 水平、MAP 水平和血流动力学状态，酌情降低 FiO_2 至 50% 以下，长时间通气不超过 50%~60%。

⑦峰值流速：理想的峰流速应能满足病人吸气峰流速的需要，成人常用的流速设置在 40~60 L/min。

⑧触发灵敏度：一般情况下，压力触发常为 -1.5~-0.5 cmH_2O，流速触发常为 2~5 L/min，合适的触发灵敏度设置，使病人更舒适，促进人机协调。

（2）常见报警参数设置　呼吸机常见报警参数设置包括容量（潮气量 TV 或分钟潮气量 MV）报警、高压报警、低压报警、PEEP 或 CPAP 水平报警（未应用 PEEP 或 CPAP 时，不需要设置）、FiO_2 报警等参数警报系统。设置界限依据病人病情与呼吸机类型，参照说明书调节。一般设置高于或低于实际参数的 10%~30%。

4. 常见报警的原因与处理

呼吸机警报系统是呼吸机必备的功能之一，临床上在使用呼吸机过程中，应重视各种报警装置的警报。任何报警都必须引起足够重视，尽快找出报警的原因，并进行相应的处理（表 4-4-2）。

表 4-4-2　常见报警的原因与处理

报警内容	原因	处理
电源报警	停电；电源插头脱落；电源掉闸；蓄电池电量低	将呼吸机与病人断开并用呼吸球囊人工通气；检查修复电源
气源报警	压缩氧气或空气压力低；气源接头接触不良；氧浓度分析错误	将呼吸机与病人断开；给病人行呼吸球囊人工通气；同时调整和更换气源，或校对 FiO_2 分析仪，必要时更换氧电池
气道高压	呛咳；肺顺应性降低（肺水肿、支气管痉挛、肺纤维化等）；分泌物过多，气道阻力增加；导管移位；呼吸回路阻力增加（如管路积水、打折等）；吸入气量太多或高压报警限设置不当；病人兴奋、激动、烦躁不安	吸痰；解除支气管痉挛；听呼吸音；检查呼吸回路并保持通畅；检查导管位置；调整呼吸机参数；安抚病人；使用药物镇静

续表4-4-2

报警内容	原因	处理
气道低压	呼吸回路漏气；导管脱出；气囊充气不良；气体经胸腔闭式引流管漏出；气管食管瘘；峰流速低；设置 V1 低；气道阻力降低；肺顺应性增加	检查呼吸回路；检查导管位置；检查气囊压力；检查胸腔闭式引流管；重新设置峰流速和潮气量，检查病人是否出现较强自主呼吸
通气不足报警	机械故障、管道连接不好或人工气道漏气；病人与呼吸机脱离；氧气压力不足	维持或更换空气压缩机，及时更换损坏的部件；正确连接电源；正确连接管道，防止管道打折、受压，保持管道正确角度，及时处理储水瓶的积水；保持中心供气或氧气瓶的压力正常
吸氧浓度报警	人为设置氧浓度报警的上下限有误；空气-氧气混合器失灵；氧电池耗尽	正确设置报警限度，及时更换氧混合器与氧电池
人机对抗	病人不配合；自主呼吸增强；高热、抽搐、疼痛、体位不适；心肺功能改变、缺氧加重；人工气道不通畅、移位、固定不好或受牵拉刺激病人；呼吸机同步性能差或触发灵敏度调节不当，参数设置不当	取得病人理解与配合；改变卧位；积极治疗原发疾病；保持呼吸道通畅；调整呼吸机模式和参数；合理固定气管导管和呼吸机管道；必要时进行镇静、镇痛

◆ 六、机械通气的护理

1.机械通气期间的监测及护理

（1）一般护理

①心理护理：对机械通气治疗神志清醒的病人应认真做好心理护理，耐心细致地解释以及语言上的精神安慰能增强病人治疗疾病的信心，提升机械通气治疗效果。护士可以通过表情、语言、手势、书写、卡片等方式与病人进行交流。同时经常和病人握手，亲切和蔼的语言及近距离的交谈可以增加病人的安全感，消除或减缓紧张恐惧心理。

②眼睛护理：为防止昏迷病人为防止眼球干燥及角膜溃烂，可滴氯霉素眼药水或涂四环素眼膏，再用凡士林纱布覆盖眼睛。

③口腔护理：机械通气病人，每日应用生理盐水或漱口水进行 2~3 次口腔护理，或根据口腔 pH 选择漱口液。经口气管插管病人，应有两人进行口腔护理，注意防止气管导管脱出。

④皮肤护理：机械通气病人，由于病情危重、营养不足、末梢循环差、机体抵抗力下降等原因，容易发生压疮。可使用气垫床、根据病情翻身变换体位、保持皮肤清洁干燥、加强营养来增强病人的抵抗力。保持会阴清洁，每天会阴护理 1~2 次。

⑤体位与肺部物理治疗：病情许可应取半坐卧位(床头抬高 30°~45°)，定时给病人进行翻身、拍背等肺部物理治疗。

（2）机械通气过程的监测　病人在机械通气期间，应严密观察病人的生命体征，重点监测神经系统、呼吸系统、循环系统、肾功能系统、动脉血气分析与血氧等，综合分析判断呼吸机治疗效果，预防机械通气的并发症，保证病人安全。

（3）人工气道管理　机械通气相关人工气道主要包括气管插管和气管切开置管，护理重点包括人工气道固定、气道湿化、气道分泌物的清除、气囊管理等。

2.呼吸机撤离的护理

（1）撤机指征

①导致机械通气的病因好转或去除。

②氧合指标 $PaO_2/FiO_2>150\sim200$ mmHg，$PEEP\leqslant5\sim8$ cmH_2O，$FiO_2\leqslant40\%\sim50\%$，$pH\geqslant7.25$。COPD病人：$pH>7.30$，$PaO_2\geqslant60$ mmHg，$FiO_2<40\%$。

③血流动力学稳定，没有心肌缺血动态变化，临床上没有显著的低血压，不需要血管活性药物的治疗或只需要小剂量的血管活性药物，如多巴胺或多巴酚丁胺$<5\sim10\mu g/(kg\cdot min)$。

④病人自主呼吸能力强，咳嗽反射良好。

（2）撤机方法

①直接撤机：适用于原心肺功能良好、支持时间短的病人；病人自主呼吸良好，且不耐受气管插管，直接撤离呼吸机，让其自主呼吸。

②呼吸模式过渡：可用 SIMV、PSV、MMV、VS 等模式过渡。

③间接撤机：在脱机前间隙使用射流给氧、T 管给氧等间接支持，逐渐延长脱机时间。间接撤机注意监测 SpO_2。

（3）撤机实施　应尽量选择在病人充分休息后的上午，此时病人状态较好，医务人员较多，能保证及时有效观察与处理。撤机后严密观察病人病情，包括呼吸状况、SpO_2、心率、血压等。

（4）撤机后监护　撤机后密切观察病人的呼吸情况，一旦出现以下变化，应立即行二次气管插管机械辅助通气：1）发绀、呼吸频率>30 次/min，出现三凹征、鼻翼翕动等呼吸困难表现。2）血压升高或降低超过 20 mmHg，心率增加或减慢超过 20 次/min 或突然出现心律失常。3）$PaO_2<60$ mmHg，$PaCO_2>55$ mmHg。4）出现烦躁不安、出汗及尿量进行性减少。5）拔管后喉头水肿或痉挛导致通气困难。

3.呼吸机依赖护理

呼吸机依赖是指机械通气病人使用呼吸机通气支持的实际时间超过病人病情所预期的通气支持时间的一种状况，病人至少有一次撤机失败。呼吸机依赖的原因包括生理和心理因素两方面，生理因素包括气体交换降低、通气负荷增加、通气需求增加、通气驱动力降低和呼吸肌疲劳等；心理因素包括不能控制呼吸模式、缺乏动机和信心及精神错乱等。对呼吸机产生心理依赖的病人，应确切告知其生理指标已达到脱机标准，鼓励病人尝试脱机，并做好安全保障措施，床旁严密观察病人，及时向病人反馈其各项生命体征稳定的信息，增强病人的信心。

4.呼吸机维护与消毒

（1）呼吸机定期维护

呼吸机维护应根据呼吸机厂家说明要求定时检测维护。定期检查更换氧电池、活瓣、氧流量器、过滤器及过滤网等。呼吸机每工作 1000 h，应由工程师进行保养及检修，建立保养和维修档案。主机运行每 5000 h、空气压缩泵使用 5000～8000 h，进行一次大检修。

（2）呼吸机使用前检测

呼吸机使用前一般要先接通气源和电源，接好外部管道和模拟肺，通电试机，观察机器有无故障，管道有无漏气，参数能否根据需要设置，参数显示是否准确，并运行30分钟左右，检测设置参数和显示参数是否一致，是否稳定，有无漂移，以便决定机器是否可以使用。检测内容包括：电源检测、气源供气检测、气密性检测、呼吸机模式和各种参数检测、报警系统检测、湿化器装置检测等。

（3）呼吸机使用中维护

保持管道通畅，检查呼吸机回路有无扭曲、打折、脱落、漏气；观察及处理管道内积水与冷凝水，随时倾倒积水瓶内的水，避免其阻塞呼吸回路或反流入机器或病人气道内；及时添加湿化器内湿化液，使其保持在允许刻度范围内；观察呼吸机各种设置和监测有无异常变动；各种导线、传感线有无松脱；查看空气进气口端或空气压缩机出气端的汽水分离器有无积水，机器的散热通风口有无堵塞。

（4）呼吸机使用后维护与消毒

①主机消毒：包括内部消毒和外部消毒。内部由于具有精密电子元件，建议由专业工程师进行专业消毒。外部可参考呼吸机出厂说明进行，可使用酒精或含氯的消毒液进行擦拭消毒。

②呼吸回路消毒：呼吸回路中包括呼吸机管道、过滤器、湿化器等。呼吸回路使用后统一送供应室清洁消毒或灭菌处理，可选择使用浸泡消毒法、高压蒸汽灭菌法、环氧乙烷灭菌法等方法进行呼吸回路消毒或灭菌。有条件的医院尽可能选择使用一次性呼吸回路，以减少病人的交叉感染。

第五节　危重症病人家属的护理

危重症病人常因病情多变、死亡威胁及预后的不确定性等对其家属的心理造成破坏性的影响，甚至持续数年。危重症病人家属也是急性应激障碍（ASD）和创伤后应激障碍（PTSD）的高危人群。因此，2010年美国危重症医学会提出了"家属-重症监护后综合征（postintensive care syndrome-family）"的概念，即病人家属应对病人接受重症监护时所产生的一系列不良心理症候群。护士被认为是满足危重症病人家属需求的主要人员，重视家属的心理健康问题，满足其合理需求，充分发挥家属对病人的支持作用，将有利于危重症病人康复。

一、危重症病人家属的需求

危重症病人家属的需求是指在病人患危重症疾病期间，家属对病人健康及自体身心支持等相关方面的总体需求。主要表现在病情保障、获取信息、接近病人、获得支持和自身舒适等五个方面，且家属认为"病情保障、获取信息"最为重要，而后依次是"接近病人、获得支持、自身舒适"。

知识点案例：
危重症患者家属的护理

1. 病情保障

家属最关注的问题是病人能否得到有效救治,保障病人安全是家属的首要需求。

2. 获取信息

绝大多数家属迫切想得知病人的病情或病情变化与预后情况,并渴望了解病人的治疗计划及检查结果。

3. 接近病人

接近病人包括能探视病人及能经常和医护人员保持联系等方面,所有 ICU 病人家属对探视病人的需求都非常强烈。

4. 获得支持

获得支持包括表达情感、得到经济和家庭问题的帮助、获得实际的指导以及被关怀等方面。家属的亲友是提供情感支持和物质支持的主要来源,其次是医护人员。所以,应鼓励家属的亲友倾听病人家属心声,协助其建立并启动有效的社会支持系统。

5. 自身舒适

自身舒适包括希望有方便的卫生设施、休息室、可口的食物以及被接受的态度等方面。

二、危重症病人家属常见的心理问题

1. 焦虑和抑郁

病人因病情危重,会对家属产生强烈的情感冲击。病人家属均存在不同程度的焦虑,主要表现为经常感觉疲劳和睡眠差,如难以入睡、多噩梦、夜惊等。

2. 急性应激障碍和创伤后应激障碍

危重症病人家属容易发生急性应激障碍(ASD),具体可表现为情感麻木、茫然,对周围认知能力降低,出现现实解体、人格解体、离散失忆症等,一般病程不超过 1 个月。若病人家属在经历家人死亡后,可有延迟出现和持续存在的精神障碍急性应激障碍的症状存在,时间如超过 4 周且影响日常生活,可考虑发生了急性创伤后应激障碍(PTSD)。病期在 3 个月以上的称为慢性创伤后应激障碍。

3. 恐惧和紧张

危重症病人意味着生命随时面临死亡,同时 ICU 的环境也让家属感到陌生,因此容易产生恐惧心理。由于病情的危重性和探视制度,限制了家属与危重症病人的有效接触与情感交流,使家属与病人不能充分沟通,易产生紧张情绪。

4. 否认和愤怒

当被告知病人病情严重或下病危通知单时,部分家属常常否认疾病的严重性,或心存侥幸心理。家属把 ICU 当成挽救危重症病人生命和治愈疾病的主要场所,寄予了过高的期望,但是当治疗效果与其期望不相符时,常表现为不理解,甚至愤怒而言行过激。

三、护理措施

1. 家属需求与情绪障碍评估

当病人处于危重状态时,护士应及时发现并正确评估家属可能产生的情绪障碍和心理需求，发现有不良心理倾向的人员，给予相关的护理干预措施和社会支持，减轻其心理压力，防止进一步的心理损害。

目前常用访谈法及量表法对家属的心理需求进行客观提取和评估。访谈法以咨询者提问与被访谈者讨论的方式，获取所需信息，对家属的各种症状给出准确的反应并能正确有效判断。量表法亦可对家属情绪障碍的出现频率和严重程度给予量化评定。

2. 良好的沟通

有超过 1/3 的家属存在抑郁症状，症状的出现与其心理应激障碍发生有很强相关性，尤其是获取信息、病情保证等心理需求不能被满足时。在与危重症病人家属接触时，应使用通俗易懂的语言尽量及时详细地向其介绍诊治相关情况，确保家属获取信息的渠道畅通，帮助家属正确认识病人疾病的严重性及诊治效果，避免其出现不良心理情绪。

3. 家庭参与

ICU 的环境相对封闭，限制陪护及探视，病人与其家属易产生焦虑及紧张情绪，导致病人与家属情感需求更加强烈。因此，应创造条件鼓励家属共同参与病人的治疗和康复过程，提升家属自身的价值感，减少不良情绪的产生。但在家属参与病人的临床决策时，应注意其复杂性和个体化，避免决策、选择给家属带来的心理压力。

4. 服务管理制度人性化

家属对 ICU 环境陌生，容易产生恐惧心理，因此在制订 ICU 管理制度时应注意考虑将病人家属的心理风险降到最低程度。常用措施包括：①定时安排家属与医生、护士的谈话交流。②设立专门的、安静温馨的谈话环境。③创造整洁的家属休息区域。④在特殊情况下，灵活安排探视时间。

思考▶

1. 该怎样护理人工气道？

2. 王某，女，40 岁，农民，1 周前因车祸致多发伤入住 ICU，目前仍处于昏迷状态。其丈夫肖某已收到 3 次病危通知单，目前表现为入睡困难、噩梦、夜惊，情感麻木、茫然，对周围认识能力降低。

(1) 该病人家属可能存在哪些心理问题？

(2) 作为 ICU 病人家属，其可能的心理需求是什么？

(3) 对于家属出现的问题，护士可给予哪些护理干预措施？

第四章练习题

参考文献

[1] 胡爱招, 王明弘. 急危重症护理学. 4 版. 北京: 人民卫生出版社, 2022.

[2] 张波, 桂莉. 急危重症护理学. 4 版. 北京: 人民卫生出版社, 2017.

[3] 王惠珍. 急危重症护理学. 3 版. 北京: 人民卫生出版社, 2016.

[4] 董桂银. 急危重症护理学. 济南: 山东人民出版社, 2014.

[5] 许虹. 急救护理学. 北京: 人民卫生出版社, 2012.

[6] 徐琳. 急救护理学. 郑州: 郑州大学出版社, 2013.

[7] 卢根娣. 急危重症护理学. 上海: 第二军医大学出版社, 2013.

[8] 葛均波, 徐永健. 内科学. 8 版. 北京: 人民卫生出版社, 2013.

[9] 陈孝平, 汪建平. 外科学. 8 版. 北京: 人民卫生出版社, 2013.

[10] 李相中. 急危重症护理学. 北京: 军事医学科学出版社, 2013.

[11] 魏蕊. 急救医学. 西安: 第四军医大学出版社, 2012.

[12] 杨丽丽, 陈小航. 急重症护理学. 2 版. 北京: 人民卫生出版社, 2012.

[13] 杨桂荣, 缪礼红. 急救护理技术. 武汉: 华中科技大学出版社, 2012.

[14] 叶文琴. 急救护理. 北京: 人民卫生出版社, 2012.

[15] 岳茂兴. 灾害事故现场急救. 2 版. 北京: 化学工业出版社, 2013.

[16] 万长秀. 急救护理学. 北京: 中国中医药出版社, 2012.

[17] 巫向前, 方芳. 危重症监护. 北京: 人民卫生出版社, 2012.

[18] 刘大为. 重症医学科诊疗常规. 北京: 人民卫生出版社, 2012.

[19] 谭进. 急危重症护理学. 2 版. 北京: 人民卫生出版社, 2011.

[20] 刘晓云. 急救护理学. 长沙: 中南大学出版社, 2011.

[21] 朱京慈. 急危重症护理技术. 北京: 人民卫生出版社, 2011.

[22] 狄树亭, 马金秀, 王扣英. 急危重症护理护理技术. 北京: 中国协和医科大学出版社, 2011.

[23] 陶红. 急救护理学. 北京: 高等教育出版社, 2010.

[24] 万小燕, 杜利. 急救护理. 武汉: 湖北科学技术出版社, 2011.

[25] 张凤梅, 贾丽萍. 急救护理技术. 北京: 科学出版社, 2010.

图书在版编目（CIP）数据

急危重症护理学 / 李昊，潘晔主编. —长沙：中南
大学出版社，2023.8（2025.7重印）
ISBN 978-7-5487-5174-8

Ⅰ. ①急… Ⅱ. ①李… ②潘… Ⅲ. ①急性病－护理
学－高等职业教育－教材②险症－护理学－高等职业教育
－教材 Ⅳ. ①R472.2

中国版本图书馆 CIP 数据核字（2022）第 212206 号

急危重症护理学
JIWEI ZHONGZHENG HULIXUE

李昊　潘晔　主编

□出 版 人	林绵优		
□责任编辑	李　娴		
□责任印制	唐　曦		
□出版发行	中南大学出版社		
	社址：长沙市麓山南路	邮编：410083	
	发行科电话：0731-88876770	传真：0731-88710482	
□印　　装	湖南省汇昌印务有限公司		

□开　　本　787 mm×1092 mm　1/16　□印张 9.75　□字数 242 千字
□互联网+图书　二维码内容　字数16千字　图片232张　视频4小时45分钟
□版　　次　2023 年 8 月第 1 版　□印次 2025 年 7 月第 2 次印刷
□书　　号　ISBN 978-7-5487-5174-8
□定　　价　32.00 元

图书出现印装问题，请与经销商调换